◉文＝沙月樹京

★《うつせみ―身体―》2020年、530×727mm、透明水彩・アクリル / アルシュ紙

Syuka
朱 華

★〈表紙〉《Missing 2》2022年、242×333mm、透明水彩・アクリル / アルシュ紙

★《Missing 3》2022年、242×333mm、透明水彩・アクリル / アルシュ紙

★《Missing 1》2022年、242×333mm、透明水彩・アクリル / アルシュ紙

写実的に描かれた身体は
一部分を残して消失していく

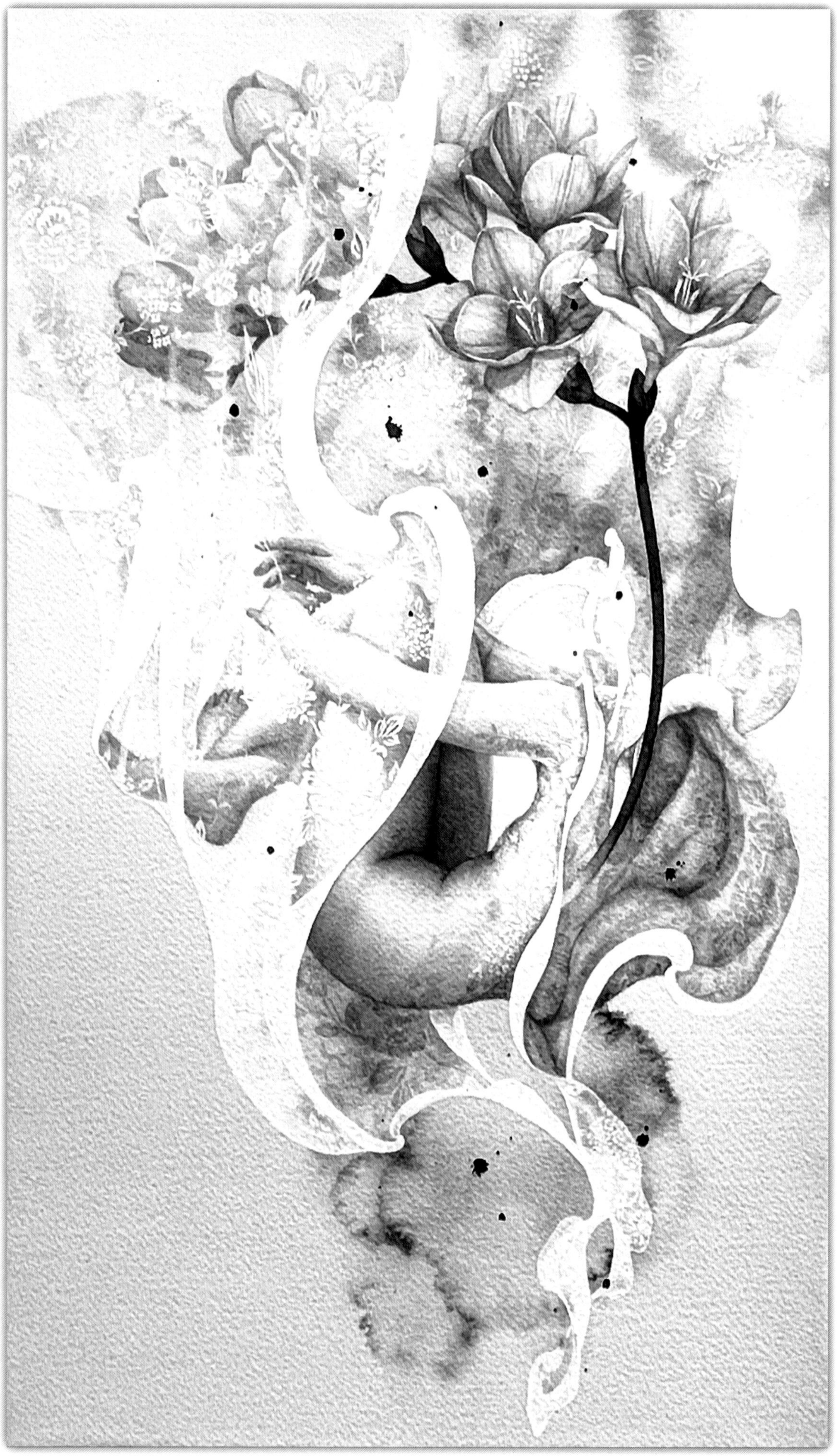

★《Hollow》2021年、273×455mm、透明水彩・アクリル / アルシュ紙

★《虚像（Phantom）》2022年、910×652mm、透明水彩・アクリル / アルシュ紙

★《Sign》2022年、455×273mm、透明水彩・アクリル / アルシュ紙

★《Breath》2021年、273×455mm、透明水彩・アクリル / アルシュ紙

★《うつせみ―変容―》2020年、530×727mm、透明水彩・アクリル / アルシュ紙

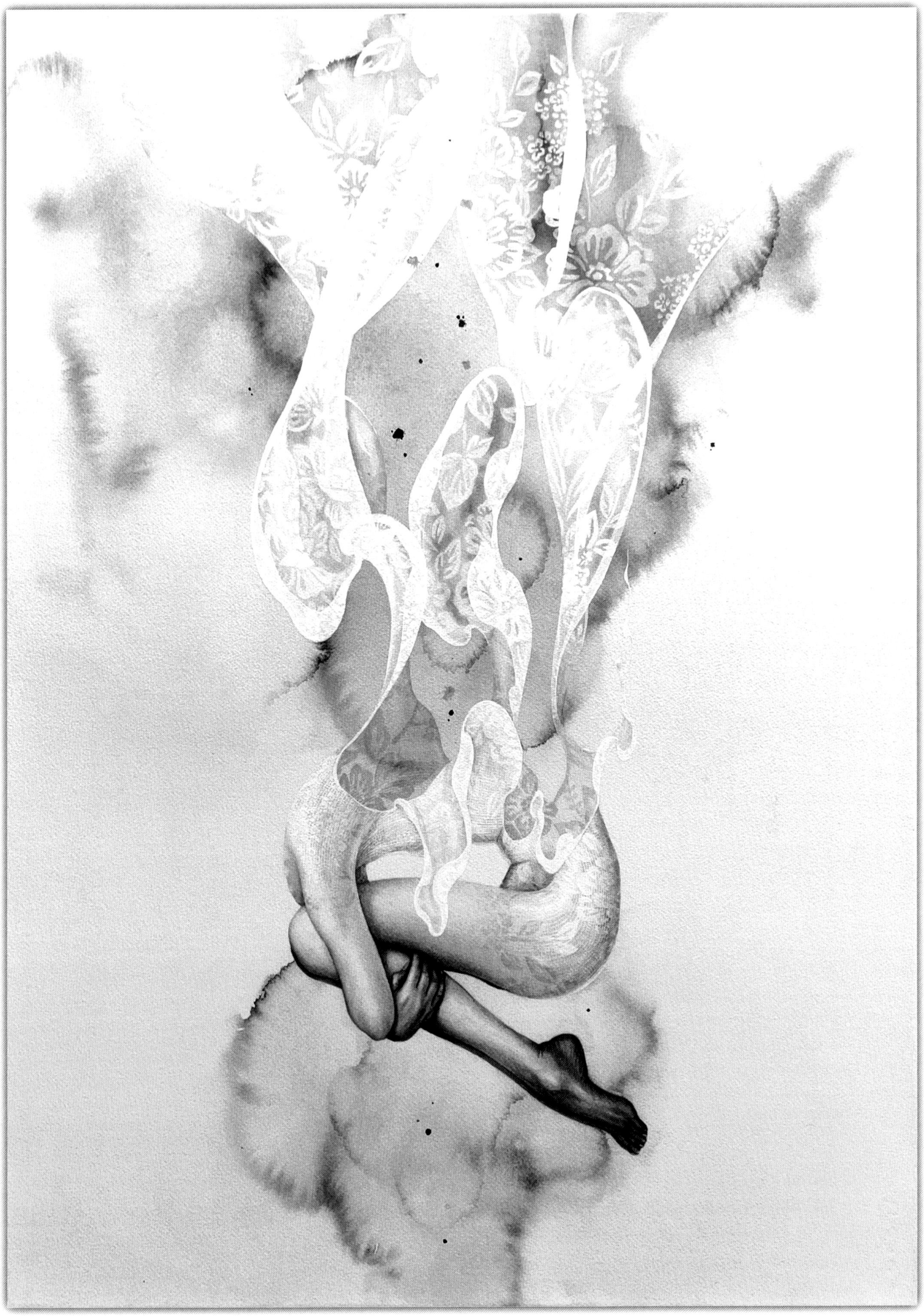

★《うつせみ—空の夢—》2020年、530×727mm、透明水彩・アクリル／アルシュ紙

★《Obscure 2》2022年、318×410mm、透明水彩・アクリル / アルシュ紙

★《Obscure 1》2022年、410×318mm、透明水彩・アクリル / アルシュ紙

茫漠な情景と乖離で表現される儚く虚ろな身体

朱華は、実体があるようでないもの、現実と虚構の間で揺らめく幻影のような身体を描き続けている。たとえばそこに身体の一部のようなものを見いだせるとしても、それ以外の部分は、ときに茫漠とした霧のようなものに覆い隠され、ときに花などに紛れ、ときに地色の中に消失し、完全な姿をうかがうことはできない。しかも、見えている身体の一部は写実的に描かれていて、観る者にはその消失がドラマチックに映る。

そうした虚ろさを、朱華は乖離という表現で描くこともある。本誌 file.23 で紹介したときも、レースの身体にリアルな表情の仮面を付けた《肖像1》《肖像2》という作品を掲載したが、その仮面は身体からズレ、乖離していた。

そして今回の個展では、《Missing》と題された3作品が目を引く。写実的に描かれた肖像画だが、それが直線で切り取られ、ズレが生じているのだ。これは、下に描いた絵の上に、少しずらして描いた絵を重ねているのだという。表紙に使用した《Missing 2》を見てみれば、顔の中央部分を切り抜いた絵が上から被されているのだが、目元のずれ方と、襟元のずれ方は異なっている。単純に同じ絵を重ねたわけではないのだ。やはり巧みに〝乖離〟がそこに演出されている。

また背景が、まるで横糸のない織物のように細かい縦のラインで表現されているのも特徴的で、ふっと風が吹けばすべてばらけて飛んでいってしまいそうだ。顔の乖離とともにその背景も、世界が虚ろであることを示していると言えよう。

そうして朱華は、現実と虚構の狭間に観る者を誘い込んでいくのだ。

(沙月樹京)

※朱華 個展「虚像」は、2022年12月3日〜14日に、大阪・中崎町のSUNABAギャラリーにて開催された。

◉写真＝田中 流／文＝沙月樹 京

SAKURA

SAKURA

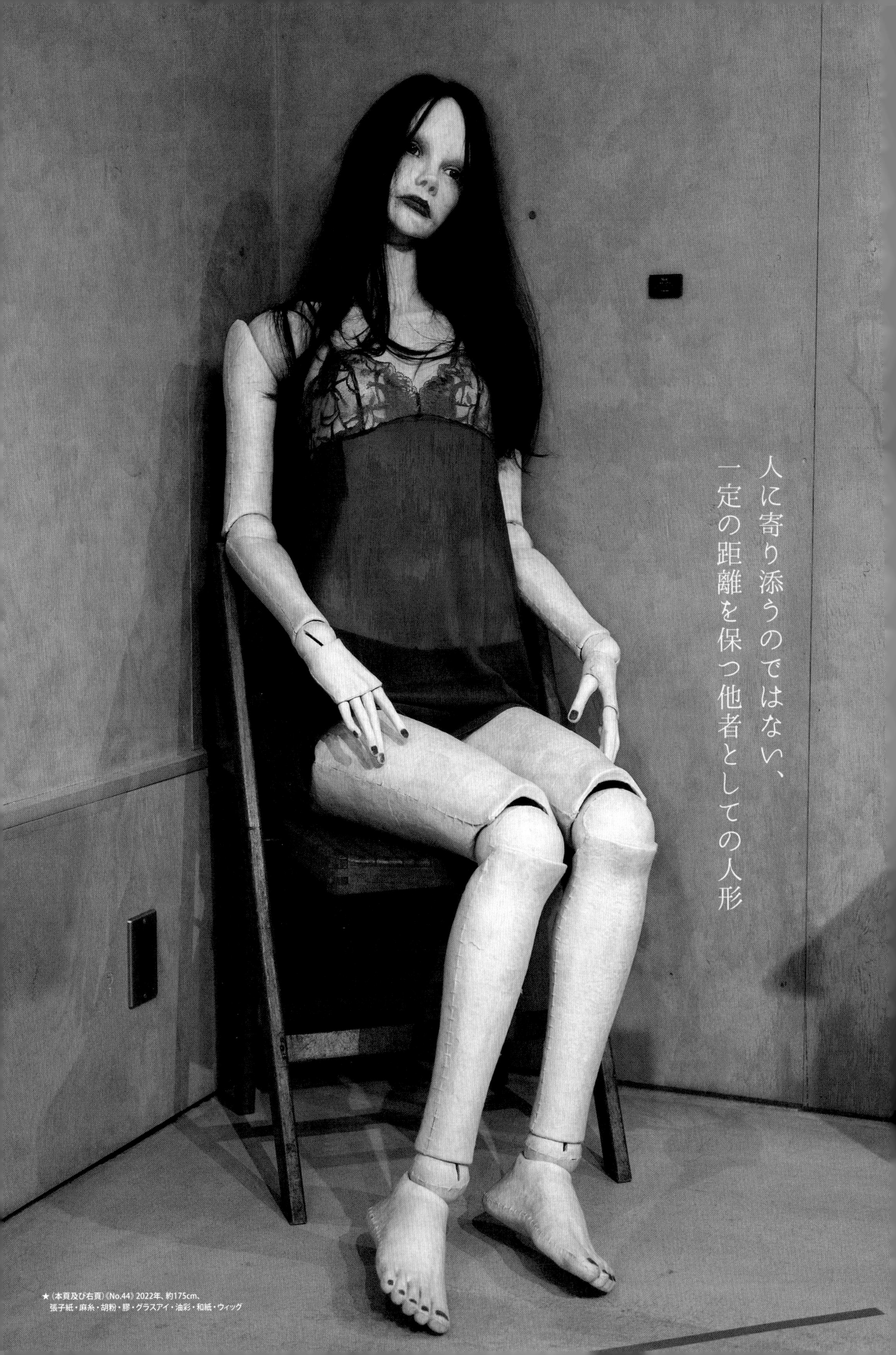

人に寄り添うのではない、一定の距離を保つ他者としての人形

★〈本頁及び右頁〉《No.44》2022年、約175cm、
張子紙・麻糸・胡粉・膠・グラスアイ・油彩・和紙・ウィッグ

★（手前及び右頁）《No.45》2022年、約90cm、張子紙・胡粉・膠・真鍮線・自作グラスアイ・油彩・アンティークスタンド
（手前から2番目）《No.40》2021年、約65cm、張子紙・麻糸・胡粉・膠・グラスアイ・油彩・アンティークスタンド

★《No.50》2022年、約30cm、張子紙・刺繍糸・胡粉・膠・自作グラスアイ・油彩・和紙・モヘア・スタンド（真鍮・粘土）

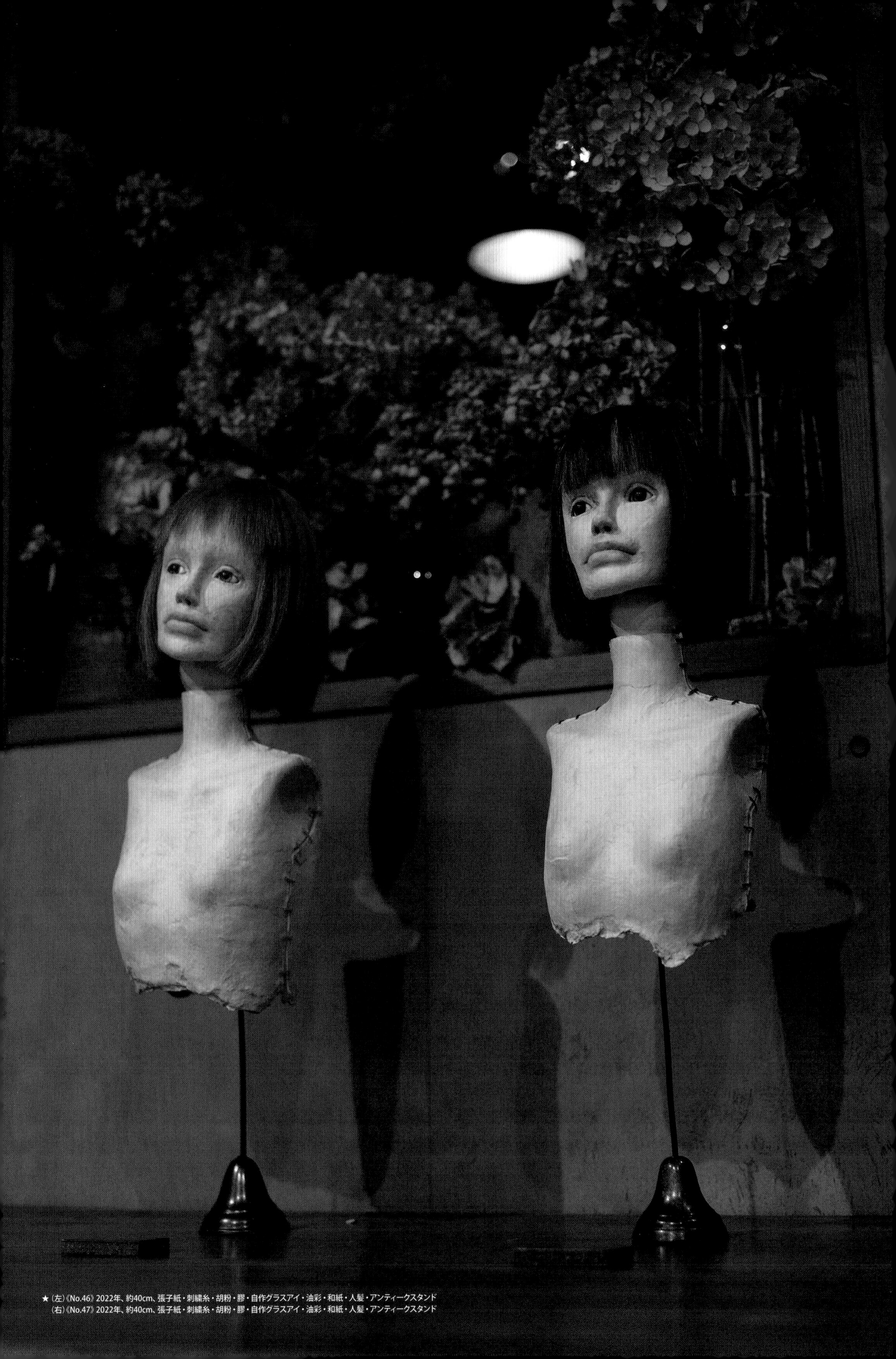

★（左）《No.46》2022年、約40cm、張子紙・刺繍糸・胡粉・膠・自作グラスアイ・油彩・和紙・人髪・アンティークスタンド
（右）《No.47》2022年、約40cm、張子紙・刺繍糸・胡粉・膠・自作グラスアイ・油彩・和紙・人髪・アンティークスタンド

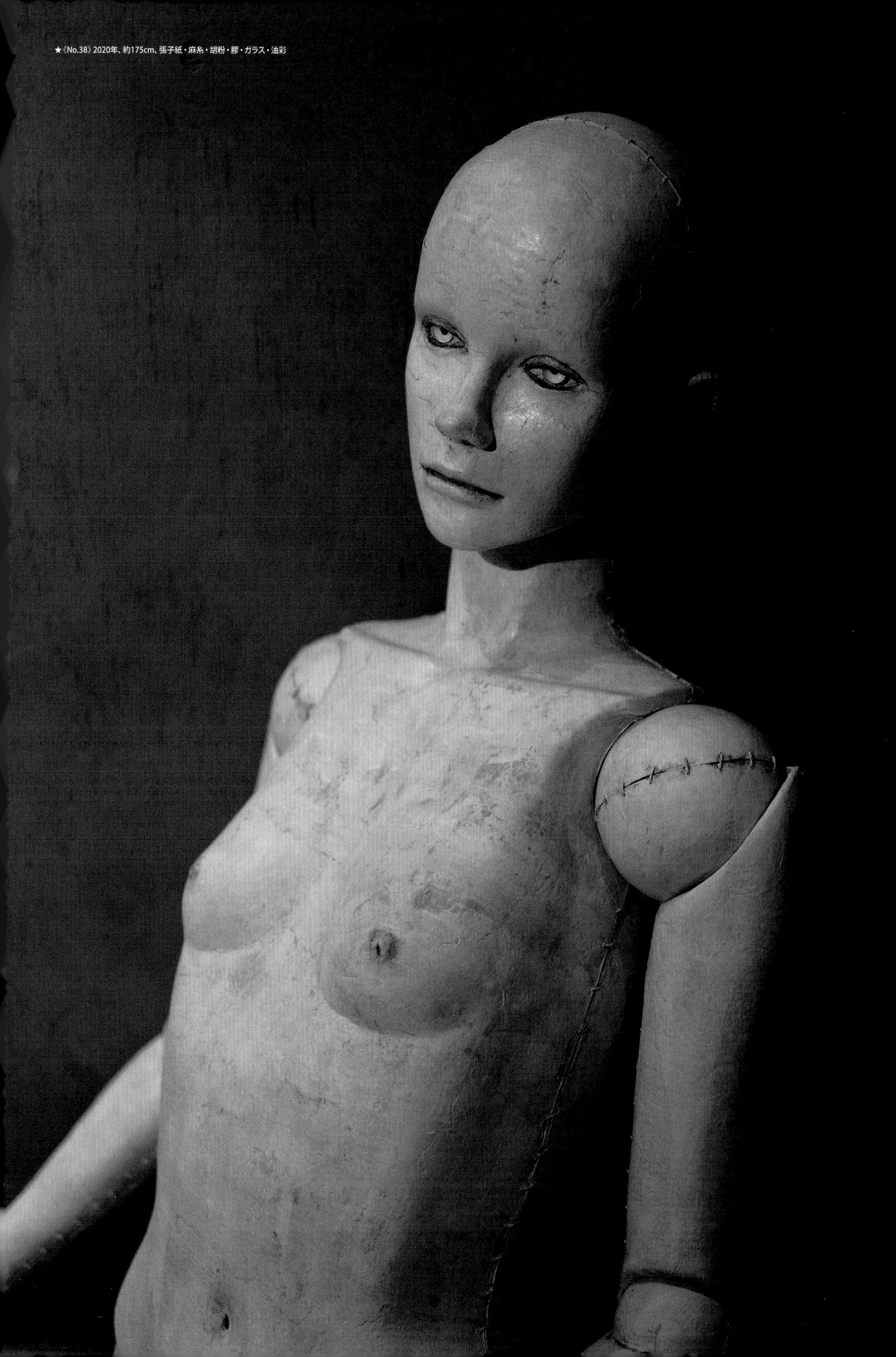

★《No.38》2020年、約175cm、張子紙・麻糸・胡粉・膠・ガラス・油彩

★《No.41》2021年、約175cm、張子紙・麻糸・胡粉・膠・グラスアイ・油彩・ウィッグ

リアルと非リアルのはざまで、人形はどんなヴィジョンを見ているのだろう

ギャラリーに着くと、ふだんなら閉ざされている入口の扉の窓が開放されていた。そのギャラリーは、繁華街ほどではないがそれなりに人の行き来がある通りに面している。だから窓が開いていると通りから中の様子が丸見えなのだが、そこにふと視線を送った通行人は、少々驚かされたかもしれない。薄暗い空間の中、ロングヘアで真っ赤な唇をした妖しげな人物がひっそり椅子に座り、こちらを見ているのだから。展示のことを知って訪れた私も、その不意打ちに思わずギョッとしてしまったくらいだ。

sakuraによるその人形は、大きなものは身長が175センチ程度あり、等身大というか、それ以上のサイズである。はっきりした目鼻立ち、ほんのり透明感のある肌の質感、とりわけ会場奥の両端に展示された《No.44》と《No.41》は、真っ赤な唇の下着姿で、官能の芳香を放っている。その存在にリアルさを感じてしまうのは、肌がツルッとしているのではなく、喜びや哀しみなど数多の人生経験が刻まれたかのような質感を醸しているこ とも あろう。どんな人生を送ってきてここに存在するのか、さまざまな想像を巡らしたくなる。

その造形は、張子によるものだ。そしていくつかのパーツがつなぎ合わせてあるのだが、そのつなぎ目を隠すことなく、むしろ目立つように縫い合わされている。sakuraの人形に不思議な距離感を覚えるのは、人に近いと感じさせる造形のリアルさと、でも作り物に過ぎないと突き放すつなぎ目とが拮抗しているからかもしれない。作品名も、まったく無味乾燥な番号で、過度な感情移入を拒絶しているかのようだ。

sakuraは記す。「私の生み出す人形が愛玩物としてその人に寄り添うのではなく、一定の距離を保ちながら『見る者が対自する為の他者』となり得ることを願う」。つなぎ目や作品名の番号は、その他者としての距離感にも通じるのだろう。そしてその距離感のもと、人形が何も語ることなく見ているヴィジョンに思いを馳せること——その「Silent Vision」は、2010年の初個展からタイトルに用いられていた。付け加えればsakuraの人形の圧倒的な存在感があってこそ、他者として対等に向き合える存在になれ、そのヴィジョンがリアルさを持ちうるのだと言えよう。 (沙月樹京)

※sakura 個展「Silent Vision_004」は、2022年11月17日〜21日に、東京・曳舟のgallery hydrangeaにて開催された。

◉文＝志賀 信夫

★《犬神》2008年、100×80cm、ミクストメディア

OHNO Yasuo

大野　泰雄

★《妖精の塚 1》2017年、50×38cm、ミクストメディア

★《鬼の子 1》2019年、38×27cm、ミクストメディア

★《座敷わらし 2》2019年、40×22cm、ミクストメディア

★《西座敷》2019年、80×110cm、ミクストメディア

リアリティを持てなかったタブローと違い、
陶だと、次々と作品が生まれた

★《鬼の子 2》2008年、28×17cm、陶

★《山童〔洞〕》2019年、28×19cm、陶

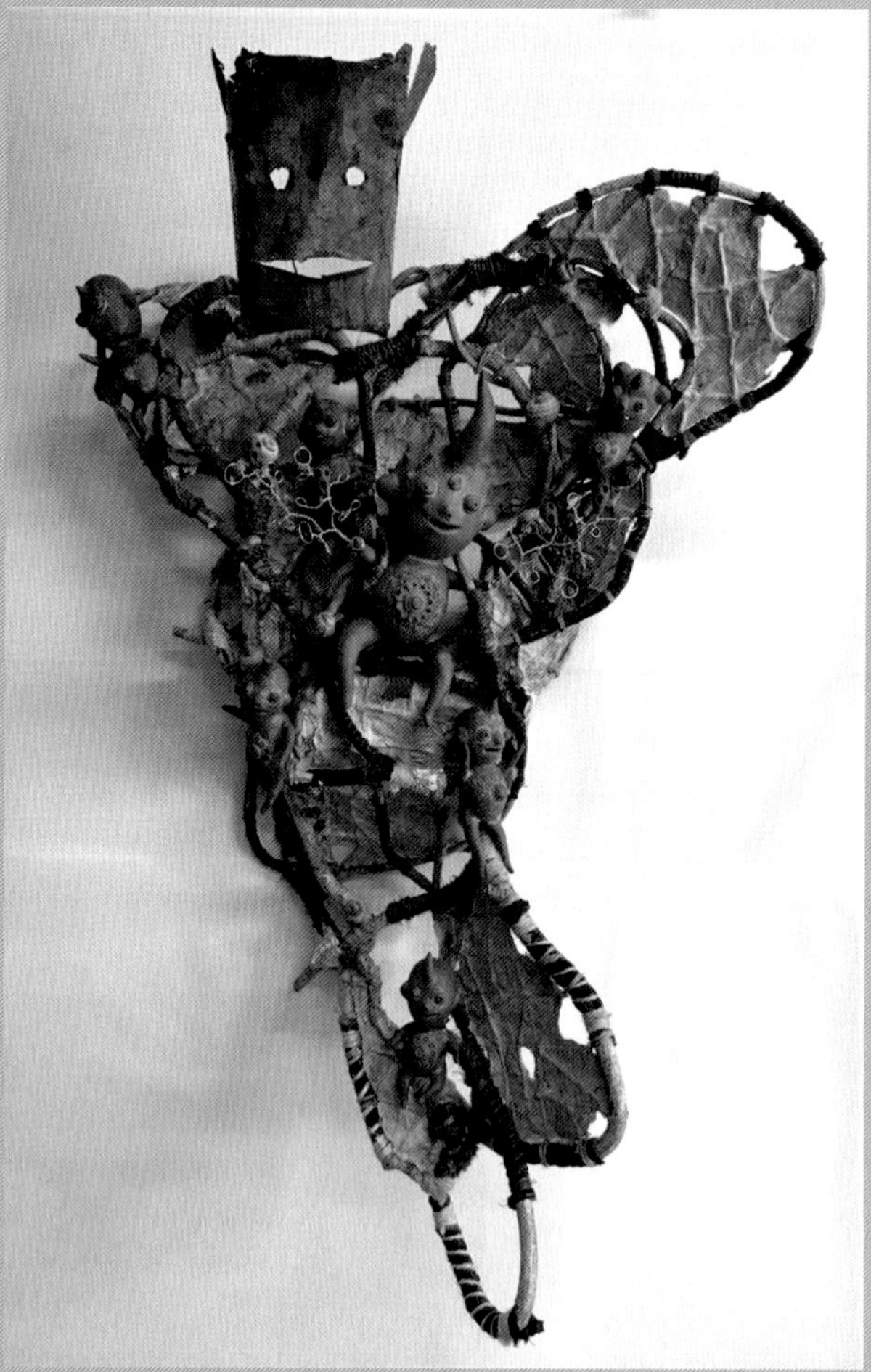

★《山童〔やまわろ〕奇譚》2019年、120×90cm、ミクストメディア

★《山童奇譚 2》2019年、60×40cm、ミクストメディア

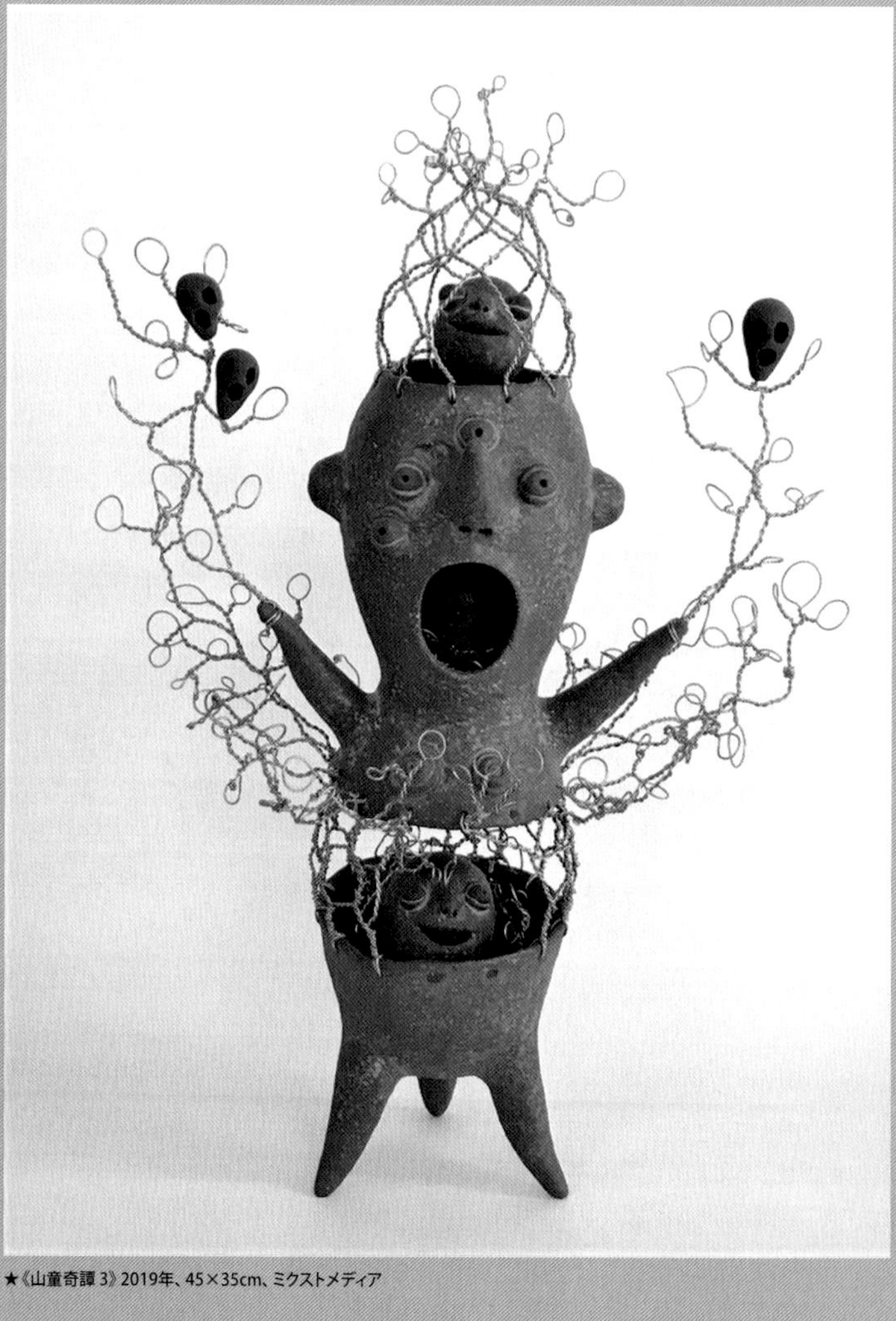

★《山童奇譚 3》2019年、45×35cm、ミクストメディア

★《黄泉平坂狐塚不動産》2011年、50×28cm、ミクストメディア

★《百物語 サーカス象の怪》2017年、38×30cm、エッチング・アクアチント

原始に遡る視線のもと生み出される陶やタブロー

病院のベッドで絵や工作に勤しむ

大野泰雄の作品は、毎年、上野の東京都美術館で開催される人人展で見てきた。個性的なデフォルメが眼に入り、人人展の自由な雰囲気に合う作家だと感じて、いずれ本誌で取り上げたいと思っていた。そして、毎年、人人展の小品展を開催してきた、上野からも近い湯島の画廊・羽黒洞が二〇二一年に閉じたこともあり、ここの小品展にも出品してきた大野にコンタクトをとった。

羽黒洞は、名物美術商の木村東介（一九〇一～九二）が、一九三六（昭和一一）年に開いた老舗画廊で、木村は長谷川利行などを世に出し、七〇年代の版画ブームの仕掛け人でもある。ジョン・レノンとオノ・ヨーコがここを訪れて、曽我蕭白などを購入したことでも知られる。そして木村東介没後は、娘の木村品子が画廊を守ってきた。それが八五年の歴史に幕を下ろしたのは、コロナの影響もあるだろう。

一九五〇年生まれの大野泰雄は、絵や工作が子どものころから好きだった。だが彼は、小学校入学の春、肺結核に感染してそのまま入院。二、三度の入退院を繰り返し、結局、五年生の夏に左肺の摘出手術をして生き延びた。そのため一日の大半はベッドの上で安静を強いられていたが、好きな絵を描き、工作をして過ごす時間が多かった。

特に内臓を入れた人体を作り、「手術」と称してお腹を切って内臓を出し入れする遊びに夢中になるといった「変な子ども」だったという。そして退院後、中学校でも美術は得意で成績もよく、高校では美術部で油絵を描いていた。当時は、モジリアニやアンソールが好きだった。そして、ライバルの友人の影響で美大への進学を決めた。

そのとき、油絵科への進学を親から反対されて、多摩美術大学のグラフィックデザイン科へ進む。ところが入学はしたものの、当時は学園紛争の真っただ中で、多摩美大もバリケード封鎖され、授業は受けられず。その影響からか「ベ平連」に参加、反戦運動にのめり込んで、授業再開後もすぐには出席しなかった。しかしこのことで社会への眼が少し開かれたという。

銅版画と陶のオブジェ

そして、運動が下火になったころから授業にも出席したが、グラフィックデザインに希望が持てず、絵本作家の道へ方向転換して、大学も中退した。そして、郷里の岐阜に帰ってから、手作りの絵本を作るためにリトグラフのプレス機を購入した。その後、浜田知明、坂東壮一らの影響を受け、銅版画も始めたのだ。ゴヤの「カプリチョス」の風刺、ルドンの石版画の美しさに魅了されて、そのまま銅版画の世界に進む。

★《百物語〈鳥語り〉》2016年、ペン画

二〇代の終わりころに、大野は画力の不足を感じて、版画と並行して油絵とアクリル画を描き始めた。そして、一九八二年、八三年と続けて京橋の日本画廊で二度の個展を開く。その後、名古屋の前衛画家・水谷勇夫のアトリエで見た縄文の土偶のような陶のオブジェに衝撃を受けたことが、陶のオブジェや人形を作る契機となった。彼はいまひとつタブロー（平面作品）にリアリティを持てずにいたが、陶の素材との相性がとてもよく、次々と作品が生まれた。さらに、ヤン・シュヴァンクマイエルの作品との出会いから、蔓、獣骨、鉄線などを使ったアッサンブラージュの作品へと広がっていった。

水谷勇夫は、舞踏家、大野一雄の初期の舞台美術を担当し、名古屋で大野一雄の公演を企画したこともあり、土方巽とも交流があった。なお、筆者によるシュヴァンクマイエルのインタビュー記事は、トーキングヘッズ叢書（TH Seires）No.47に掲載されている。

陶のオブジェは最初から黒陶だった。窯の温度は、一一〇〇度の炭化焼成で、現在は御影土に化粧土を施し、調子を見ながら拭き取る方法で、一二三〇度の焼き締め。銅版画はシンプルに、エッチングとアクアチントのみ。ゲルインクのペン画は銅版画の下絵として始めたが、オートマチックにできあがってゆく面白さがあって、立体を作る合間に描いている。ちいさな丸や点、ギザギザの線をパラノイア的に増殖させる自動筆記法だ。陶も版画も独学。自分勝手にやっているという。

タブローに描かれる顔

そして大野は、タブロー（平面作品）については「顔」ばかり描いている。その

★《百物語（猫むすめ）》2016年、38×30cm、ペン画

★《百物語（草叢）》2016年、38×30cm、ペン画

際、「顔」の中に「自然」を描き入れたり、逆に「自然」の中に「顔」を置いてみたりして、人間と自然の始源の形質をテーマとしていた。陶の人形でもテーマは変わらず、土の中に眠っていたものが、長い年月の果てに『ゴロリ！』と出てきたような、そんなイメージだ。そして、人間も自然の一部である東洋思想に共感し、三〇代の初めにはインドに旅行した。

だが、なぜ大野は顔を描くのだろうか。大野は、顔しか描けなかったというか、顔以外は描く必要性を感じなかったのだ。身体は獣でも植物でもなんでも構わない。自分にとっての「いい顔」があって、そのイメージに近づけたとき、絵ができたと感じる。それは美人であるとか、感情を表すものではなく、「ある懐かしさ」を感じるような、原始に遡る視線を持った顔だ。それはなぜなのか、大野にはわからないという。

確かに、その「懐かしさ」や「原始に遡る視線を持った顔」というのは、わかる気がする。筆者は美しい顔、醜い顔どちらも好きだが、この何か始原的なものを感じさせる顔を求める、という気持ちはとてもよくわかるのだ。現代は、新しいものを求めつつも、反対に最も遡ったものに、何か本質的なものを求めたい、という気持ちがあるのではないだろうか。七〇年代ころから、多くの人々がアジア、そしてインドを求めたのも、そういう「本質」を求める気持ちが根底にあったように思えるのだ。それは一種、ルーツを求める志向なのかもしれない。

人人会と大野

大野は、一九八二年の日本画廊での個展の際、人人会の星野慎吾から、「君の絵に神経を感じる」と評され、次の年の日本画廊での個展には星野のほか、山下菊二、佐熊桂一朗、田島征三らが来て、作品評を受けたが、山下は辛口の批評だった。そして、大野は、八五年から人人会へ出品を始めた。中村正義はすでに亡くなっていて、会えなかったことを、いまでも残念に思っているそうだ。

この人人会は、一九七四年、中村正義、星野眞吾、山下菊二、斎藤眞一、大島哲以、佐熊桂一郎、田島征三の七名によって創立された。多くの公募展とは異なり、旧態依然とした縦系列の画壇に抵抗して、人を縦でなく横に並べて「人人会」と名づけ、反権力を標榜する個性的な作家たちを集めて旗揚げした。設立七年後のアピールには、「権威にひれふし、時代の証人である事を放棄した人々を私たちは画家と呼ばない」とある。ほかにも、富山妙子、井上洋介、丸木位里など、数多くの個性的な画家、美術家たちが参加してきた。講演会、上映会なども開催している。筆者は、佐熊桂一郎の作品との出会いによって、見に行くようになっている。

なお、人人会を支えてきた羽黒洞の活動の一部は、木村東介が上野に開き、現在日本橋にある不忍画廊に引き継がれるだろう。

俳句と版画、オブジェの組み合わせ

大野泰雄は、自分にはボッスやブリューゲル、シュルレアリスム、ウィーン幻想派などの影響があるという。そして、視覚よりも触覚を信頼している。色や形よりも、ディテールや質感が重要で、皮膚感覚を刺激する手触り感のある作品づくりをめざしているそうだ。そして、触覚はエロスに直結していると思っている。

影響を受けた美術家として、大野はボッス、ブリューゲル、ルドンなどのほかに、オーストリアのカール・コーラップ（一九三七〜）、ベルギーのフランス・ミンナート（一九二九〜二〇一一）、フランスの彫刻家ミシェル・ネイジャー（一九四七〜）などのアールブリュットの作家、山下菊二を筆頭に人人会創立メンバーなどをあげた。

さらに、美術家以外では、寺山修司、澁澤龍彦、心理学の岸田秀、俳人の阿部青蛙《せいあい》（一九一四〜八九）をあげる。青蛙の句をいくつか引いてみよう。

「あたゝかに顔を撫ずればどくろあり」「キリストの顔に似ている時計かな」「人間を撲つ音だけが書いてある」「赤ん坊ばかりあつまりいる悪夢」「天井の正体などをかんがへる」「鶏頭をきざんであそぶ子供かな」「恋しげに鼻血は出てきたりけり」

大野は、今後も個展、グループ展が中心だが、一つは「水葬」をテーマに、人形を川に沈めるインスタレーションをやりたいという。また彼は俳句と版画を組み合わせた作品をつくってきたが、俳句とオブジェという組み合わせも面白いと思っており、また、俳句は音でもあるので俳句朗読ライブなども考えている。そして、いまは、テラコッタの人形をつくり始めているという。「水葬」のインスタレーションは、とても興味深い。最後に、大野の俳句をいくつか掲げておこう。

「春愁のギプスの裏に湿りをり」「ぺるそなの裏の蛙の目借時」「口裏を合はせ蒲公英咲き初むる」「朧とは仮面の裏の溜まる息」「春暁の尻拭く紙に並びたる」「パラソルの棒パラソルの穴の中」「打ち下ろす二の腕白き蠅叩」「風船の追はれて影を失へり」「ピンホールカメラのコロナ黄砂来る」

（志賀信夫）

◉大野泰雄 出品「第46回人人展」2023年3月25日（土）〜31日（金）
場所／東京・上野 東京都美術館 1階 第4展示室　詳細は https://hitohitokai.org/

◉文＝沙月樹京

★《come to help》2021年、530×530mm、油彩 / キャンバス

MORIMOTO Ariya
森本　ありや

★《分娩台》2022年、606×606mm、油彩 / キャンバス

ユニークなアリヤンキャラクターが遊ぶ
極彩色の奇妙な世界

★《臆病者》2022年、180×180mm、油彩 / キャンバス

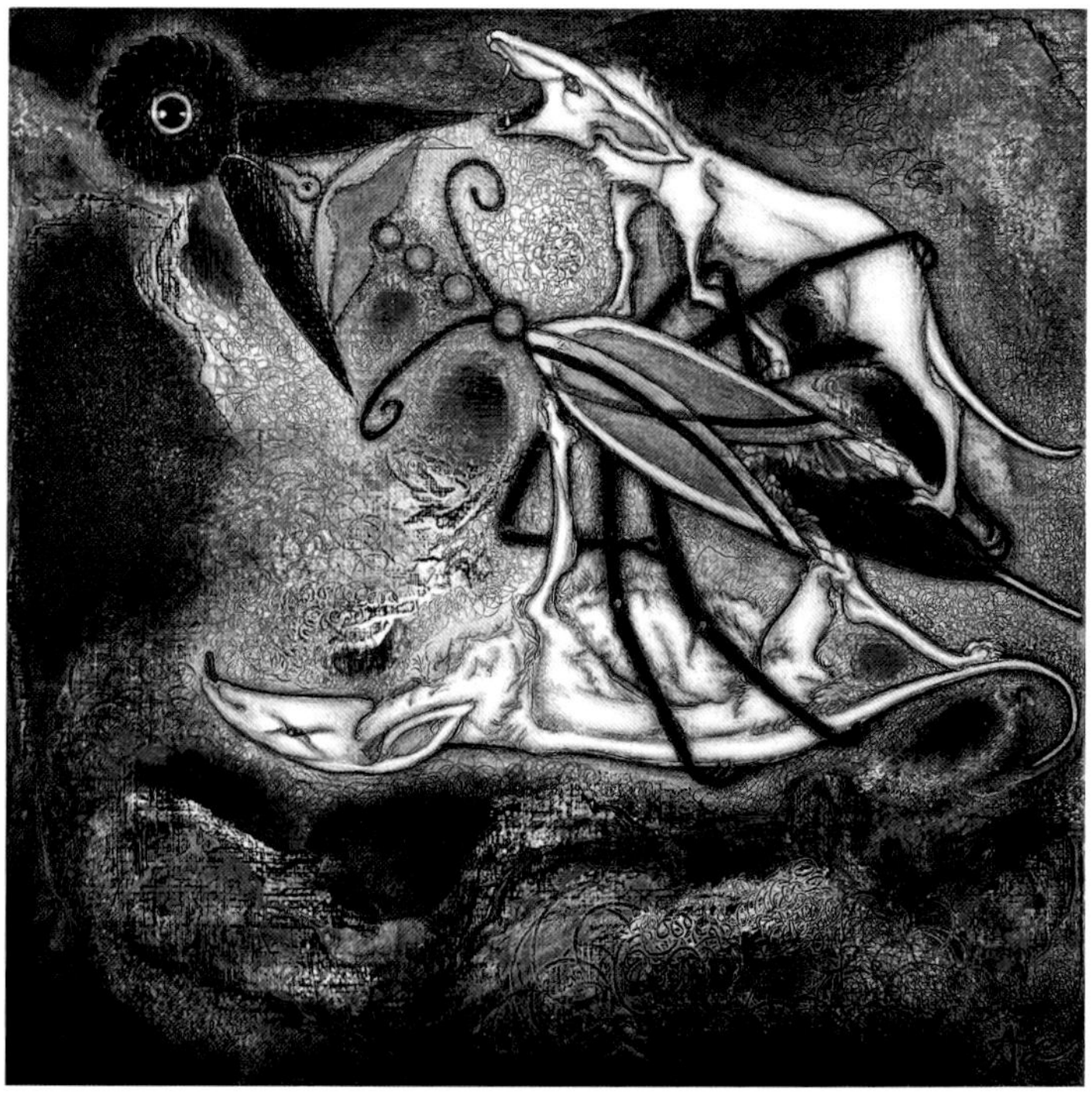

★《振り子》2020年、180×180mm、油彩 / キャンバス

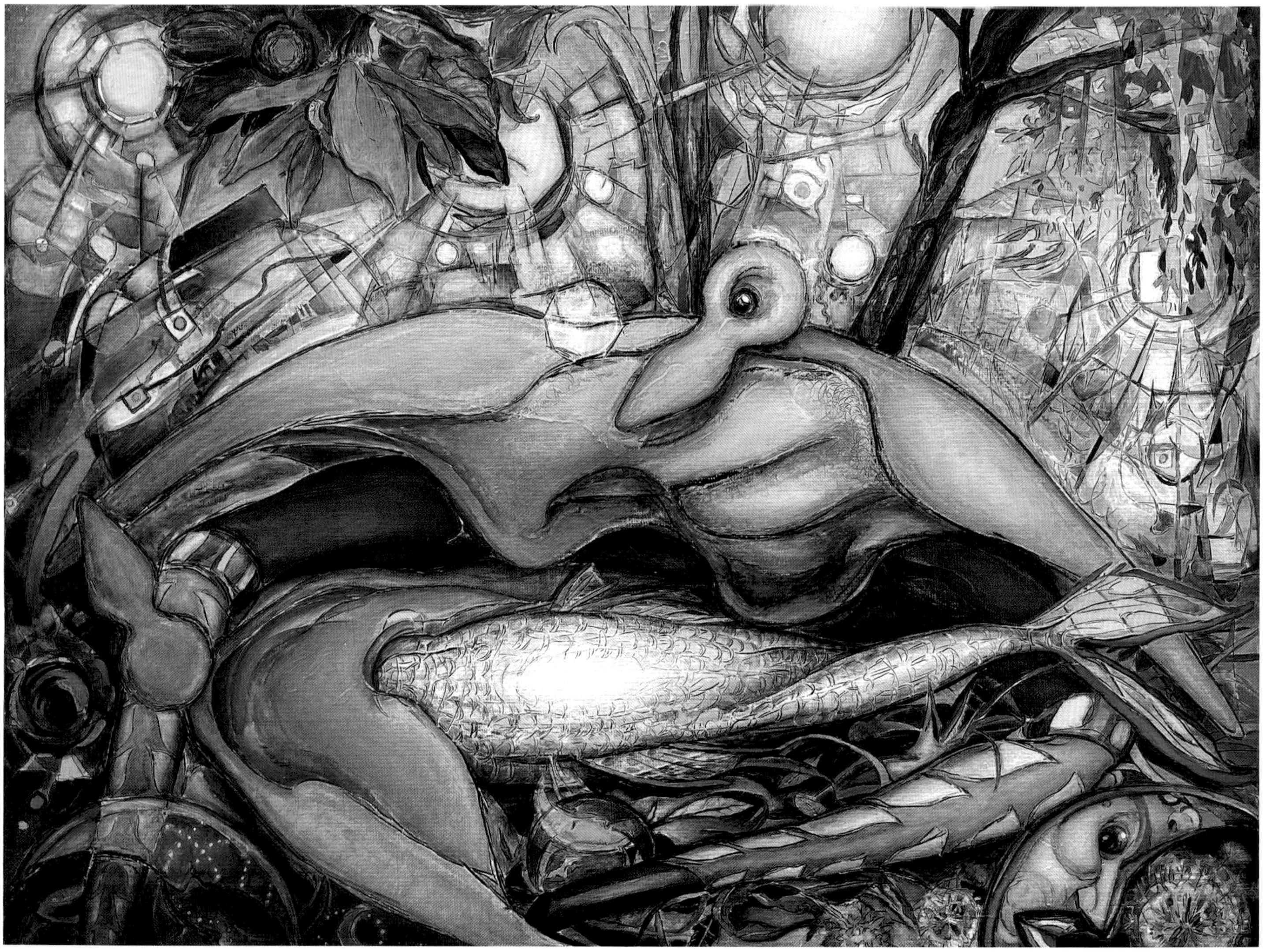

★《日なたの晒し者》2022年、333×455mm、油彩 / キャンバス

★《根菜男子の因縁》2022年、455×380mm、油彩 / キャンバス

★《happening》2022年、180×180mm、油彩 / キャンバス

★《like a bouquet》2022年、180×180mm、油彩 / キャンバス

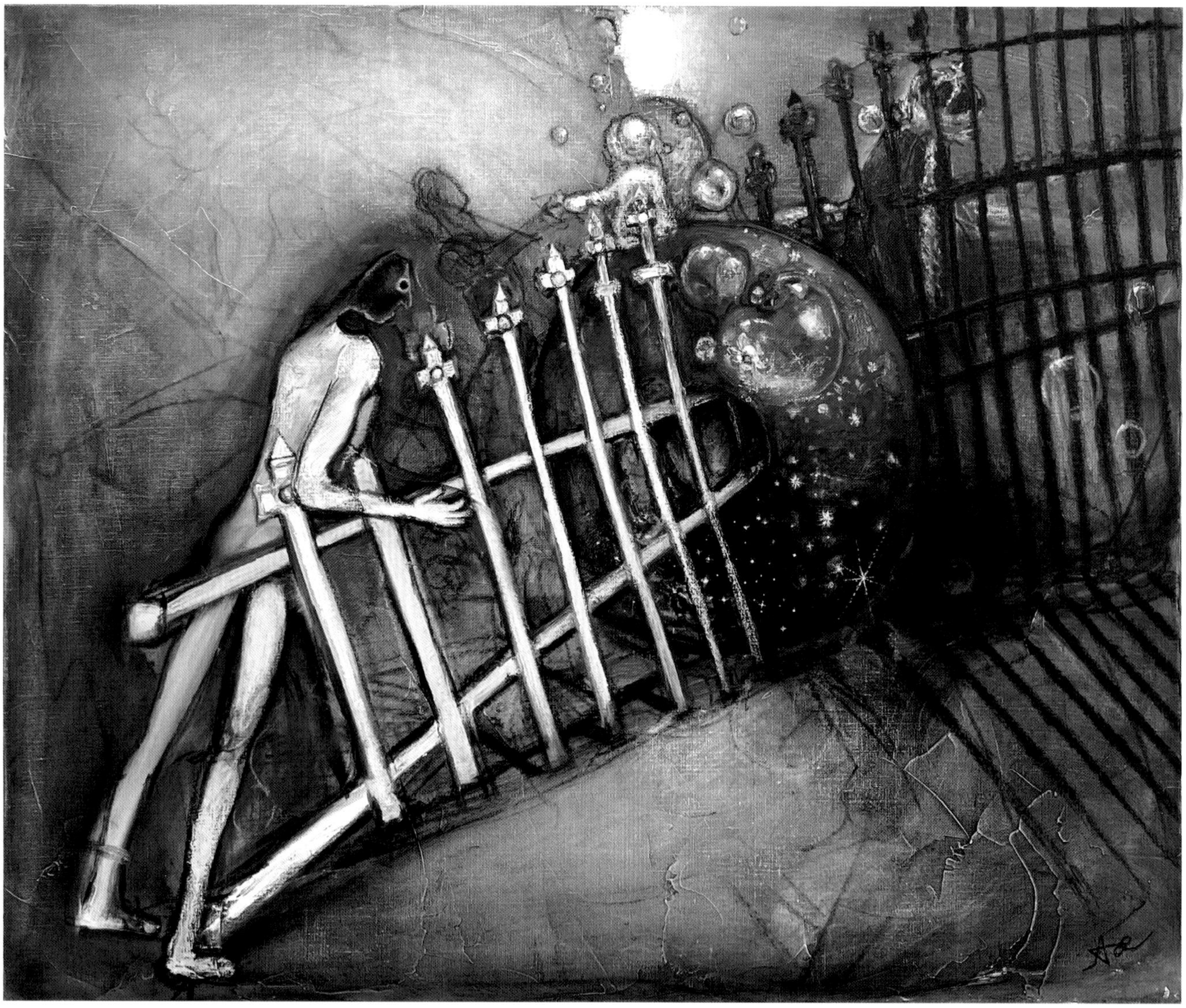

★《traditional record》2021年、652×530mm、油彩 / キャンバス

★《Goodbye to Language》2021年、220×273mm、油彩 / キャンバス

★《mounting》2022年、270×350mm、油彩 / キャンバス

★《忘れてね》2022年、180×180mm、油彩 / キャンバス

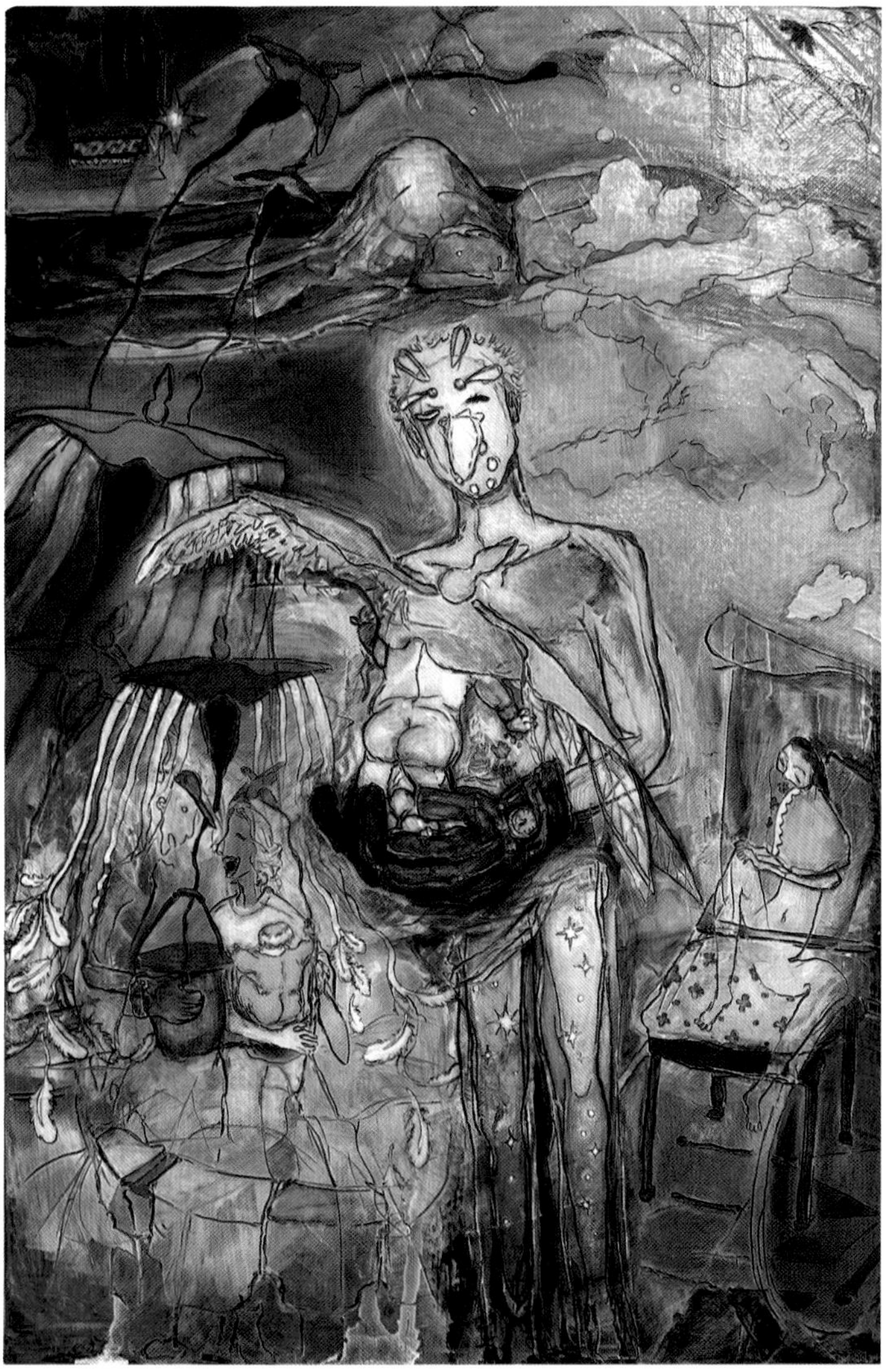

★《抜け殻の男》2022年、220×333mm、油彩 / キャンバス

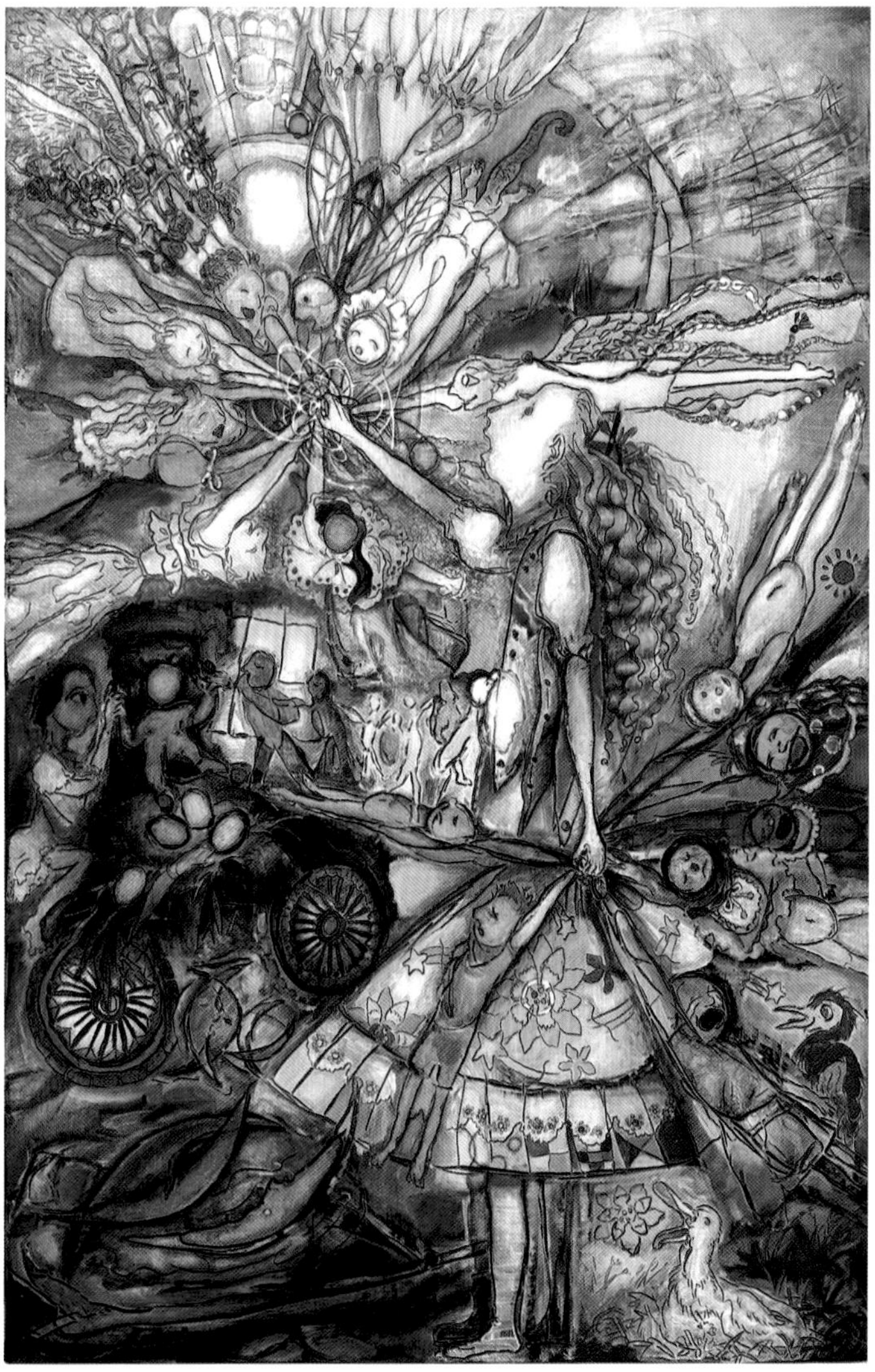

★《この手にあったもの》2022年、220×333mm、油彩 / キャンバス

★《処刑を待つ者たち》2022年、727×606mm、油彩 / キャンバス

さまざまなモチーフを
パズルのように組み合わせ、
その謎を探求するように描く

どんな光景がそこに繰り広げられているのか、ちょっと戸惑うかもしれない。色彩豊かで、描かれているものは具象で、人や動植物など、よく見知ったものが散りばめられている。だけど、何がどう関係しているのか、何をどうしようとしているのか、皆目わからなかったりする。だがそれでも、不思議なエネルギーを感じさせよう。その混沌の中から、われわれの何かを覚醒させる生命力のようなものが伝わってくる。

森本ありやは、2017年、京都精華大学卒。21年に金沢のルンパルンパで初個展を開催し、昨年は大阪のSUNABAギャラリーで個展を開いた。森本は、油絵は筆で形をとるのが苦手なのだという。だから、生乾きの油

★《たわいない母子像》2021年、273×410mm、油彩 / キャンバス

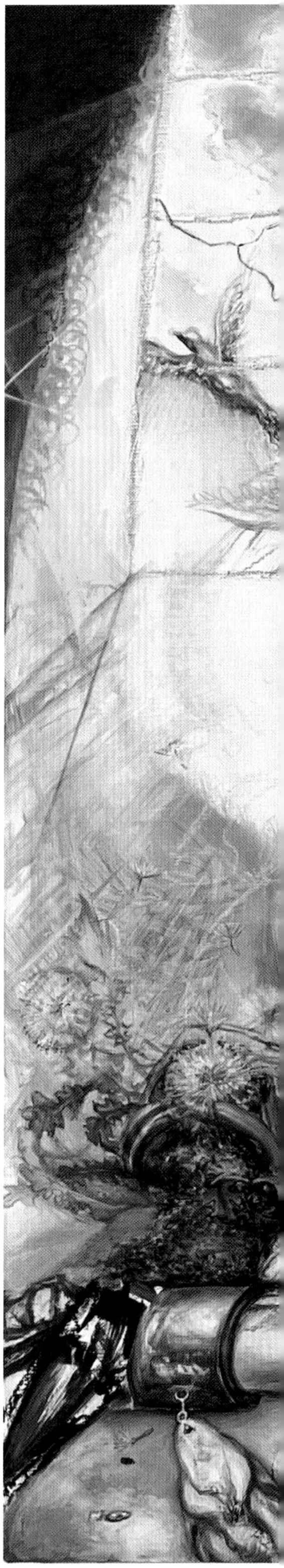

絵の具の上からニードルで線画を描き、それをガイドにして油彩で色を置いていったり、オイルパステルで描いた線を活用しながら画面を展開させていったりという、特異な描き方をしている。しかも、何を描くのか、明確なヴィジョンをもって描くのではない。さまざまなモチーフをパズルのように組み合わせ、自らその謎を探求するかのように描いていく。それはまるでパズルゲームを解くような感じだと思い、だから個展のタイトルは「アリヤンパズル」。そこに正答などはない。だから観る側も自由に発想していいし、その見方もひとつの答えとして作品を成立させているのではないかという。

そして森本の作品がさらにユニークなのは、同じモチーフのものが別の作品に登場することもあり（それをアリヤンキャラクターと称する）、3枚以上の作品に登場すると、レギュラーメンバーとして名前がつけられたりする、ということだ。例えば、赤いマントを羽織った「くつしたさん」、黄色く丸い単眼の頭にくちばしが付いた「とり」などなどで、「くつしたさん」は王様だけど最弱で「とり」が天敵なのだという《分娩台》は、瀕死の「くつしたさん」が生もうとしている子を「とり」が襲おうとしている場面なのだそうだ）。そうした共通するキャラを発見するのも楽しく、それもまさにパズルゲーム的だ。

「アリヤンパズル」の次には、「アリヤンブーケ」を構想しているのだという。どこまでも自由にイメージを創出していく森本ありや。この先、どのような世界を見せてくれるのだろう。

（沙月樹京）

※森本ありや 個展「アリヤンパズル in Osaka」は、2022年10月22日～11月2日に、大阪・中崎町のSUNABAギャラリーにて開催された。

◉REPORT◉

「第26回岡本太郎現代芸術賞（TARO賞）」展

文・写真＝ケロッピー前田

未知の才能を発掘する登竜門「TARO賞」
最優秀該当者なしでも特別賞4名と入選者たちが表現力で圧倒

特別賞／足立篤史《OHKA》

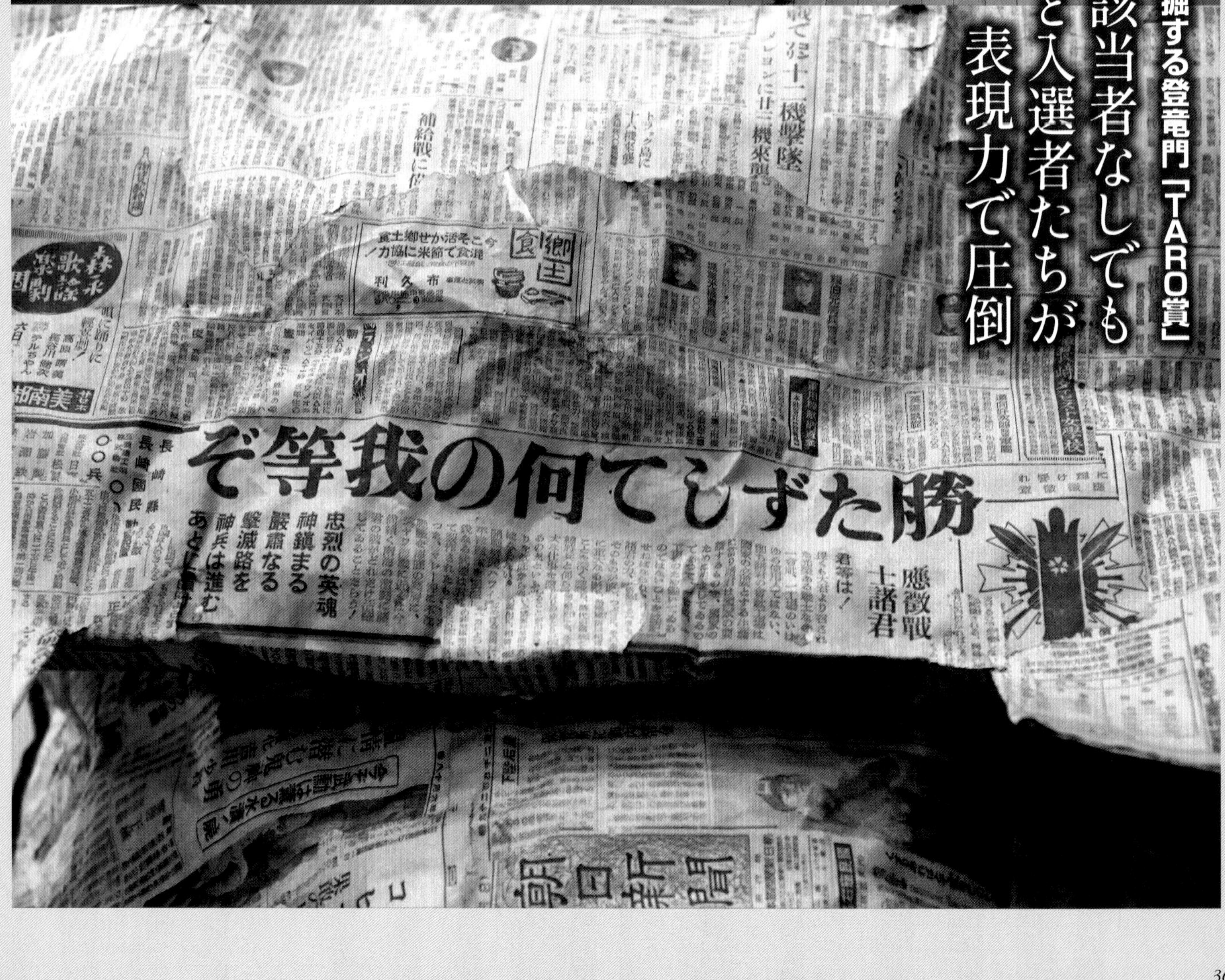

特別賞／澤井昌平《風景》

The 26th Exhibition of the Taro Okamoto Award for Contemporary Art

特別賞／関本幸治《1980年のアイドルのノーバン始球式》

特別賞／レモコ-レイコ《君の待つところへ》

西除闇《MANgaDARA》

平向功一《流氓》

川上一彦《ちゃいおすてぃっくじぇーぴーひー》

宮本佳美《To see tomorrow》

大洲大作《Loop Line》

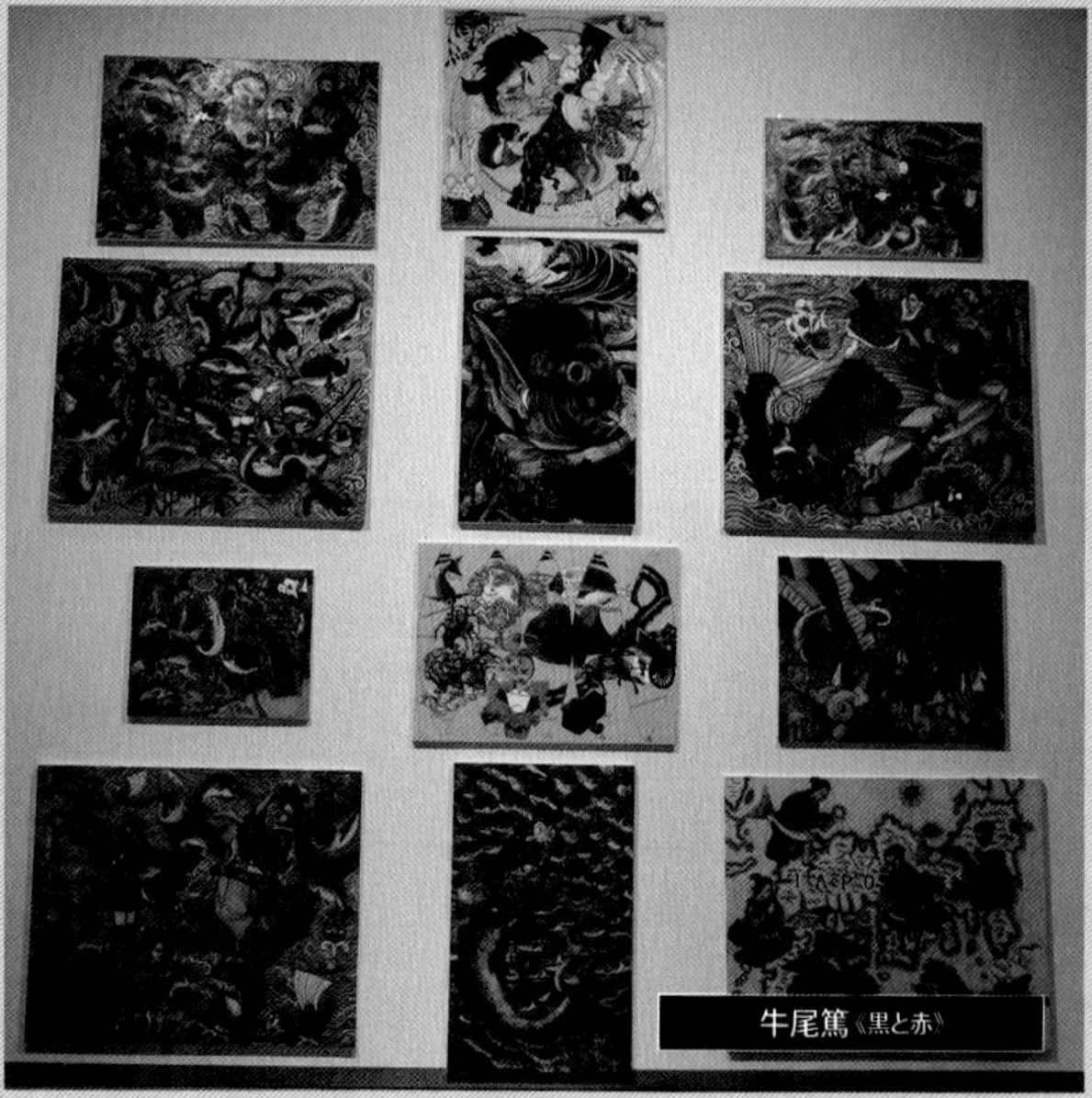
牛尾篤《黒と赤》

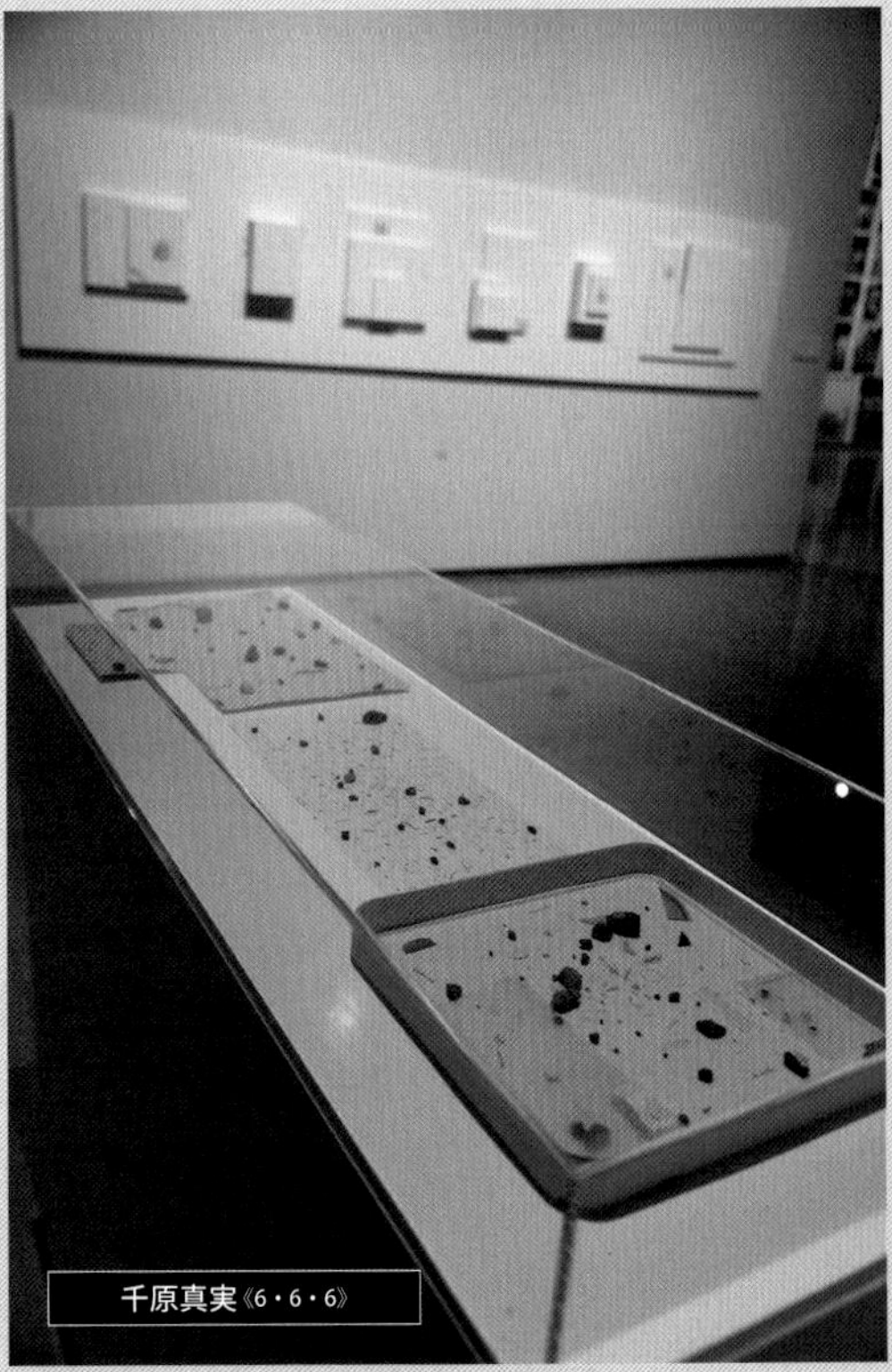

千原真実《6・6・6》

都築崇広《構造用合板都市図》

柴田英昭《コラージュ川柳》

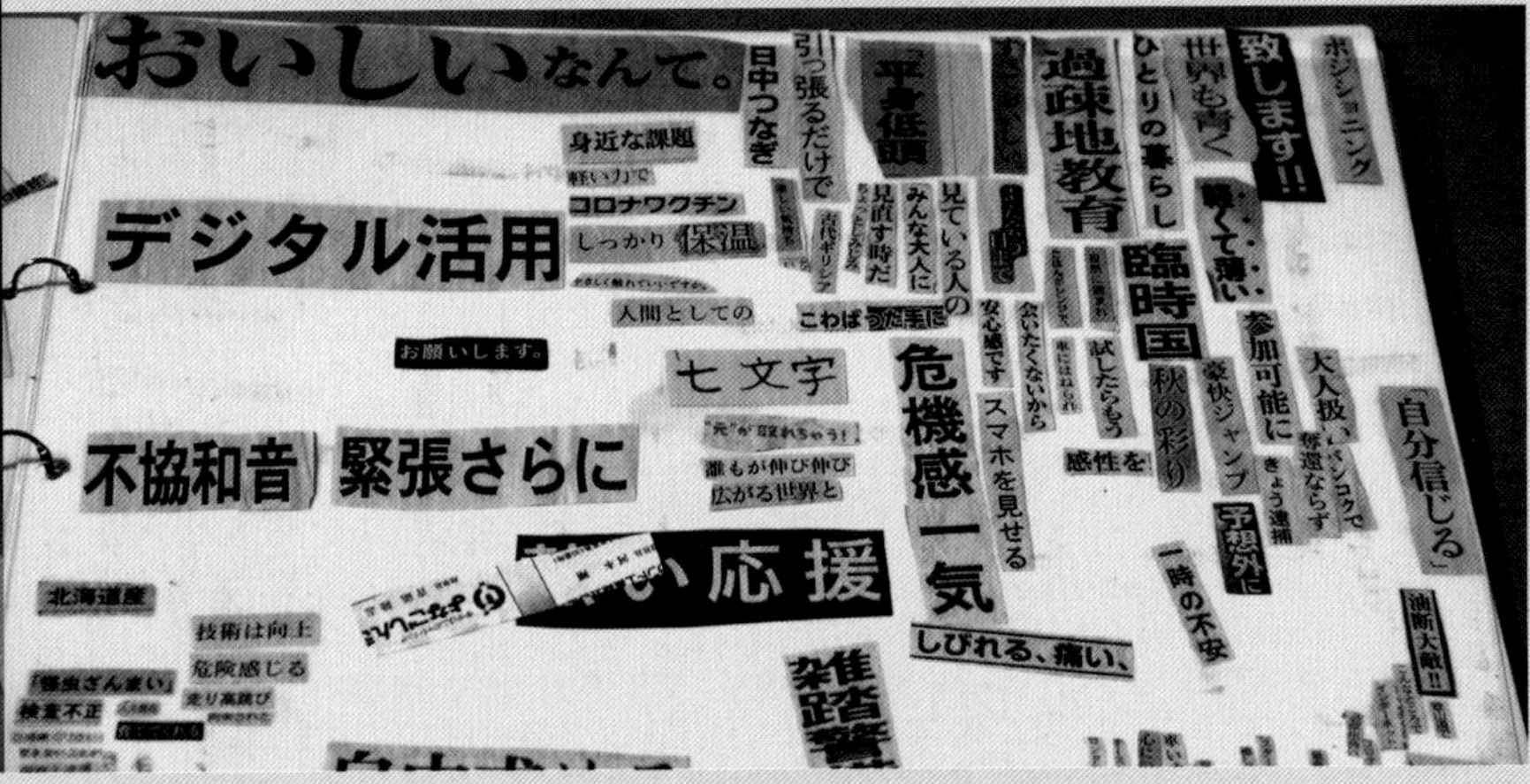

今年も恒例の「岡本太郎現代芸術賞（TARO賞）展」のレポートをお送りする。595点の応募から選ばれた23作家の力作が川崎市岡本太郎美術館に展示されたが、今回、岡本太郎賞、敏子賞はともに該当者なし。とはいえ、特別賞受賞の4名を始め、入選者たちの作品には圧倒されるばかりで、成熟期を迎えたTARO賞がその原点に戻るべく、厳しい基準で〝斬新さ〟と〝自由さ〟を作家たちに課した結果のようにも思うのだ。

TARO賞は「時代を創造する者は誰か」という岡本太郎の著書『今日の芸術』（1954）のサブタイトルにちなみ、1996年、岡本太郎没（享年84歳）をきっかけとして設立された。彼の遺志を継ぎ、自由な視点と斬新な表現を追求するアーティストを発掘かつ応援しようというもので、賞歴、学歴、年齢を問わず、美術ジャンルも超えて応募できる。そればかりか、最大で5メートル立方の空間を展示スペースとして使用できるところが特徴で、その広さをどう活かすかも作家の力量が試される。そんなTARO賞だが、90年代に始まった当初は長らく「大賞」受賞者不在が続いた。敏子没後の2006年から「岡本太郎賞」「岡本敏子賞」と命名され、それ以降は該当者なしとなることはなかった。今回の結果はTARO賞にとっても大きな転機となるだろう。

特別賞には、足立篤史、澤井昌平、関本幸治、レモコ・レイコの4人の作家が選ばれた。

足立篤史《OHKA》は、展示会場の入口付近にドーンと配置された特攻兵器「桜花」の実物大模型である。「桜花」とは、第二次大戦中に特攻専用に開発されたロケットエンジン搭載の航空機で、足立の作品をよく見るとその表面は昭和19〜20年前半の新聞紙で覆われている。さらにそれは空気を送って膨らませるバルーン構造になっており、和紙とコンニャク糊で作られた大戦中の「気球爆弾」を意識したものだという。戦争を実体験的に体感できるサイズとインパクトで、作品そのものが、過去の歴史

Hexagon artist®《宇宙儀式》

山田優アントニ《portrait》

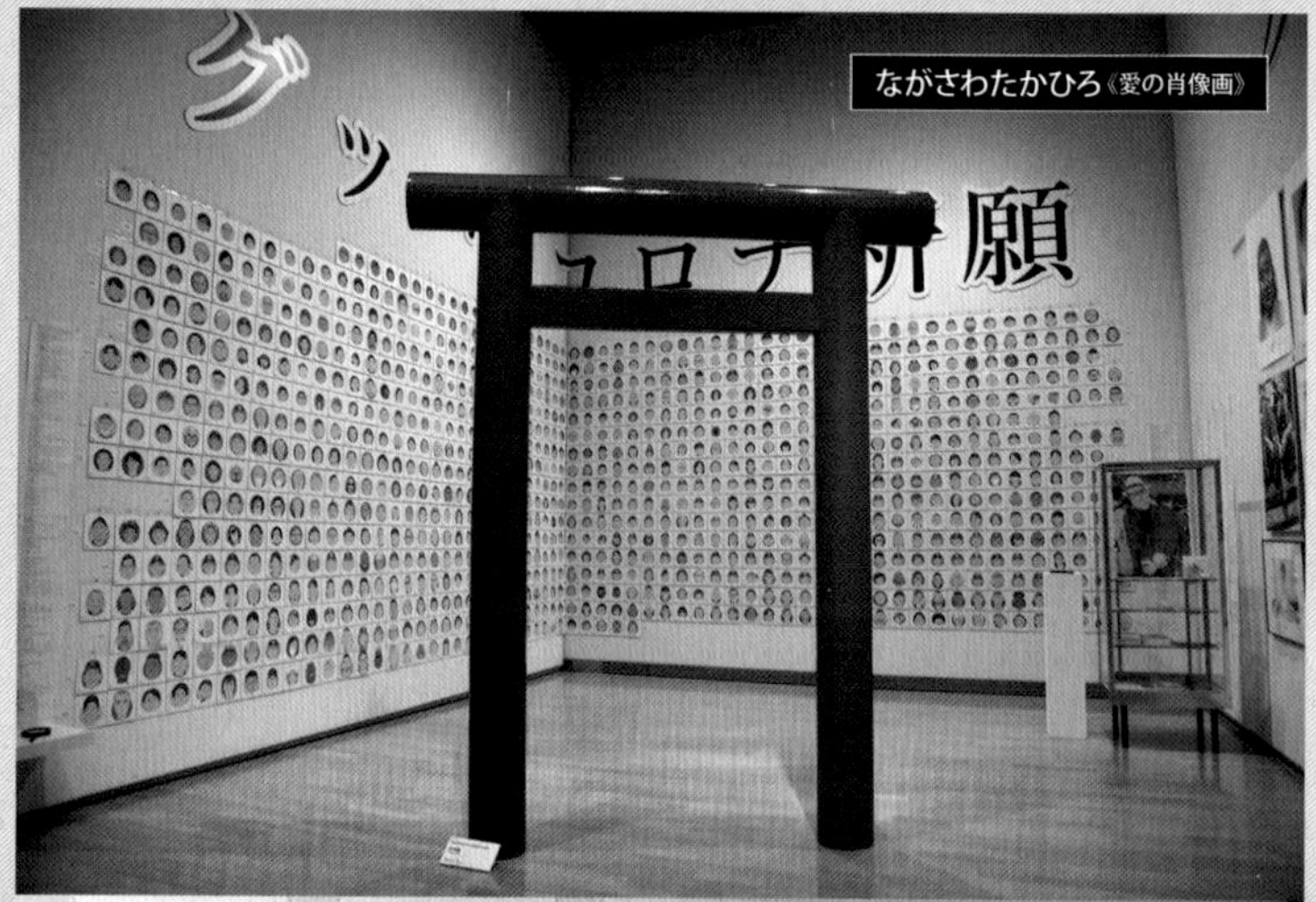

ながさわたかひろ《愛の肖像画》

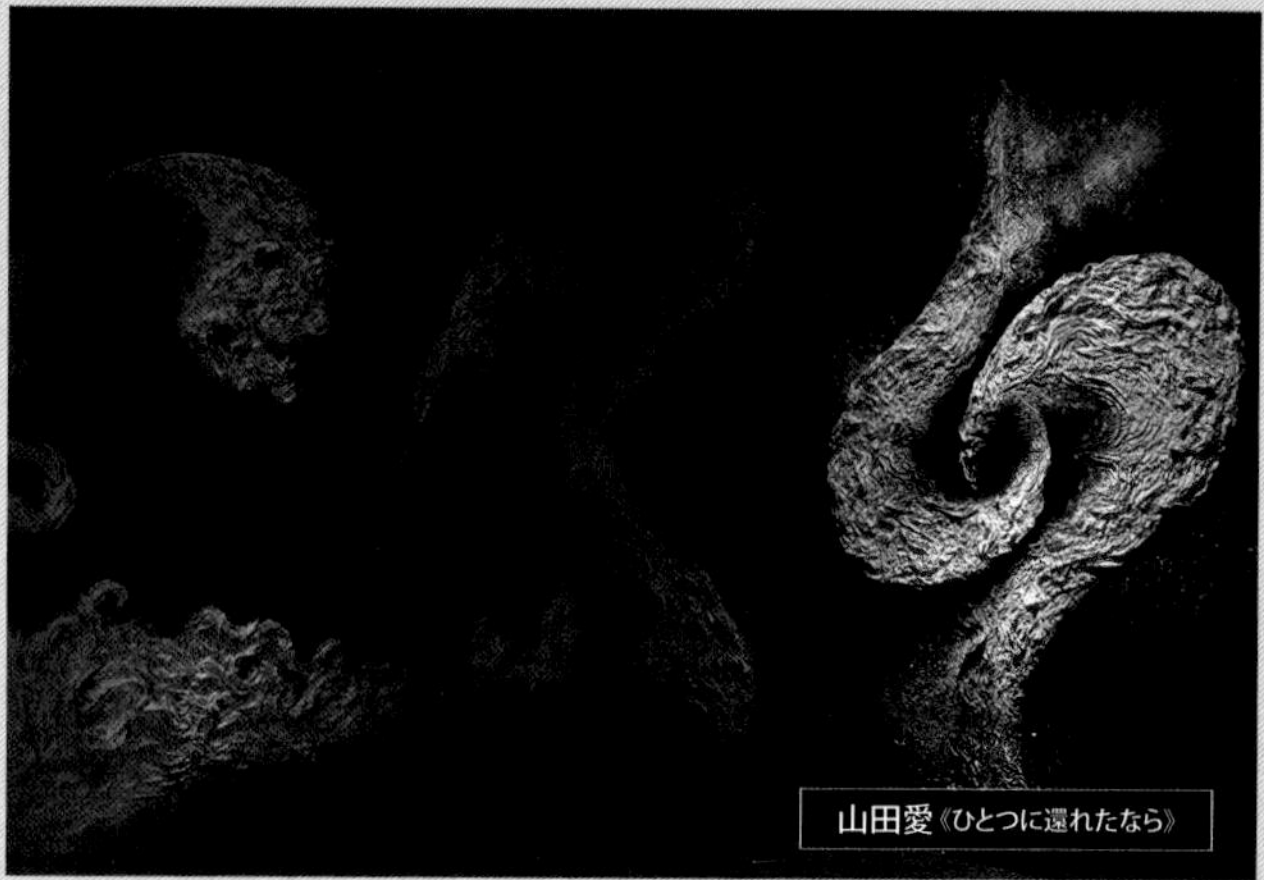

山田愛《ひとつに還れたなら》

を考えさせるメッセージとなっている。

澤井昌平《風景》は、自らに一日一枚のノルマを課して、閉塞的な日常を記録した絵画作品の集積という。それぞれの作品にはサインと日付が記されており、正面の大作はドローイング作品をコラージュしたものだ。彼は過去に2回本展に出品しており、2020年に続いて2度目の特別賞受賞となった。しっかりとした画力と構成力で太郎賞展のクオリティを支えている。

関本幸治《1980年のアイドルのノーバン始球式》は、小屋のような立体物のなかを覗くと、欧風のインテリアの空間に二体の女性の人形がポーズを取っているインスタレーションである。作家の説明によると、一枚の写真を撮影するために3年がかりで制作されたものであるという。確かに奥の壁面には額装された写真作品が鎮座し、「La petite mort（小さな死）」（女性のオルガスムの意）の文字が床に投影されている。小屋の周囲には制作の資料や計画書などが配置され、作家がバタイユ、双子、ジェンダーなどをリサーチしてきたことがよくわかる。タイトルにある「1980年」や「ノーバン始球式」との関連性は不明だが、すべてが作家の個人的な体験として、つながっているものな

奥野宏《チミモウリョウの宴》

空箱二郎《アドレナリン症候群》

川端健太《そこに見えて居ない》

高田哲男《B.B.B. (Black Ballpoint Blues)》

NISHINO HARUKA《てんとう虫ダルマ -2022-》

池田はなえ《森のハーモニー》

のだろう。

レモコ-レイコ《君の待つところへ》は、5メートル立方の空間を使った巨大な絵本のようだ。他の作品とは一線を画す色彩の明るさとエネルギーに満ちており、主人公であるおかっぱ頭の女の子に注目すると、彼女が動物たちと空や海、世界の至るところを旅している様子がわかる。見た人を楽しい気持ちにさせてくれるパワーが爆発している作品である。

その他の作品では、参加型で新聞などの切り抜きを組み合わせる柴田英昭《コラージュ川柳》、廃棄予定の古い少年ジャンプを積み重ねて仏像として蘇らせる西除闇《MANgaDARA》、六角形に拘って神道に通じる虚像と実像の世界を表現するHexagon artist®《宇宙儀式》などが印象に残った。

改めてこれまでのTARO賞を振り返るなら、筆者も2013年からもう10年以上、毎年レポートを続けてきたことになる。最初にTARO賞に注目したのは、2011年の震災&原発事故以降、若い世代のアーティストたちが自由な表現を求めたときに、絶好の登竜門となっていたことであった。表現の形態も問わず、大きな作品やパフォーマンスも許容する懐の深さは確かに多くの才能にチャンスを与えてきた。そして、3年間に渡るパンデミックを経て、大きな時代の変わり目にあって、TARO賞も新たな時代へ向かって突き進んでいこうとしている。そんな視点で見ると、今回の展示からも多くのヒントを得ることができる。時代を創造する者とは鑑賞者としてのあなた自身でもあるのだから。

（ケロッピー前田）

◉第26回岡本太郎現代芸術賞（TARO賞）入選作家（50音順）

足立篤史、池田はなえ、牛尾篤、大洲大作、奥野宏、空箱二郎、川上一彦、川端健太、澤井昌平、柴田英昭、関本幸治、高田哲男、千原真実、都築崇広、ながさわたかひろ、西除闇、NISHINO HARUKA、平向功一、Hexagon artist®、宮本佳美、山田愛、山田優アントニ、レモコ-レイコ

※「第26回岡本太郎現代芸術賞（TARO賞）」展は、2023年2月18日（土）〜4月16日（日）まで、川崎市岡本太郎美術館にて開催中。詳細 https://www.taromuseum.jp/

●文＝志賀信夫

★《ひまわり泥棒ちゃん》2021年、257×182mm、ペン画

ISHIMATSU Chiaki

石松　チ明

★《すべてが嘘だったとわかった》2023年、420×297mm、ペン画

★《ウエハースにしてやる》2022年、420×297mm、ペン画

★《攫ってやる》2022年、420×297mm、ペン画

★《金木犀さん》2021年、364×257mm、ペン画

★《あわれな人魚》2020年、420×297mm、ペン画

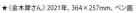

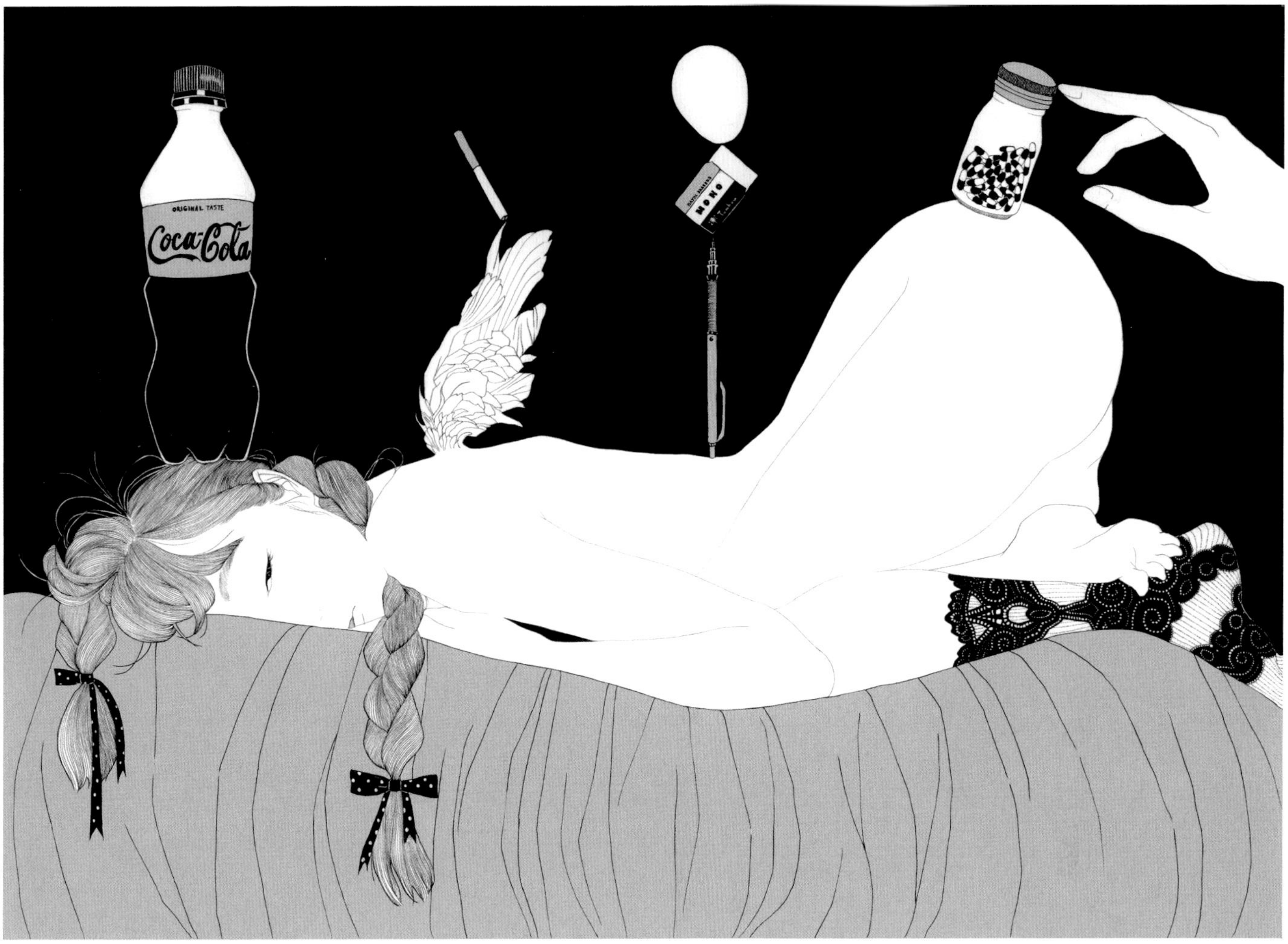

★《みじめな天使》2018年、364×515mm、ペン画

★《間》2022年、257×364mm、ペン画

★《奇跡》2020年、515×364mm、ペン画

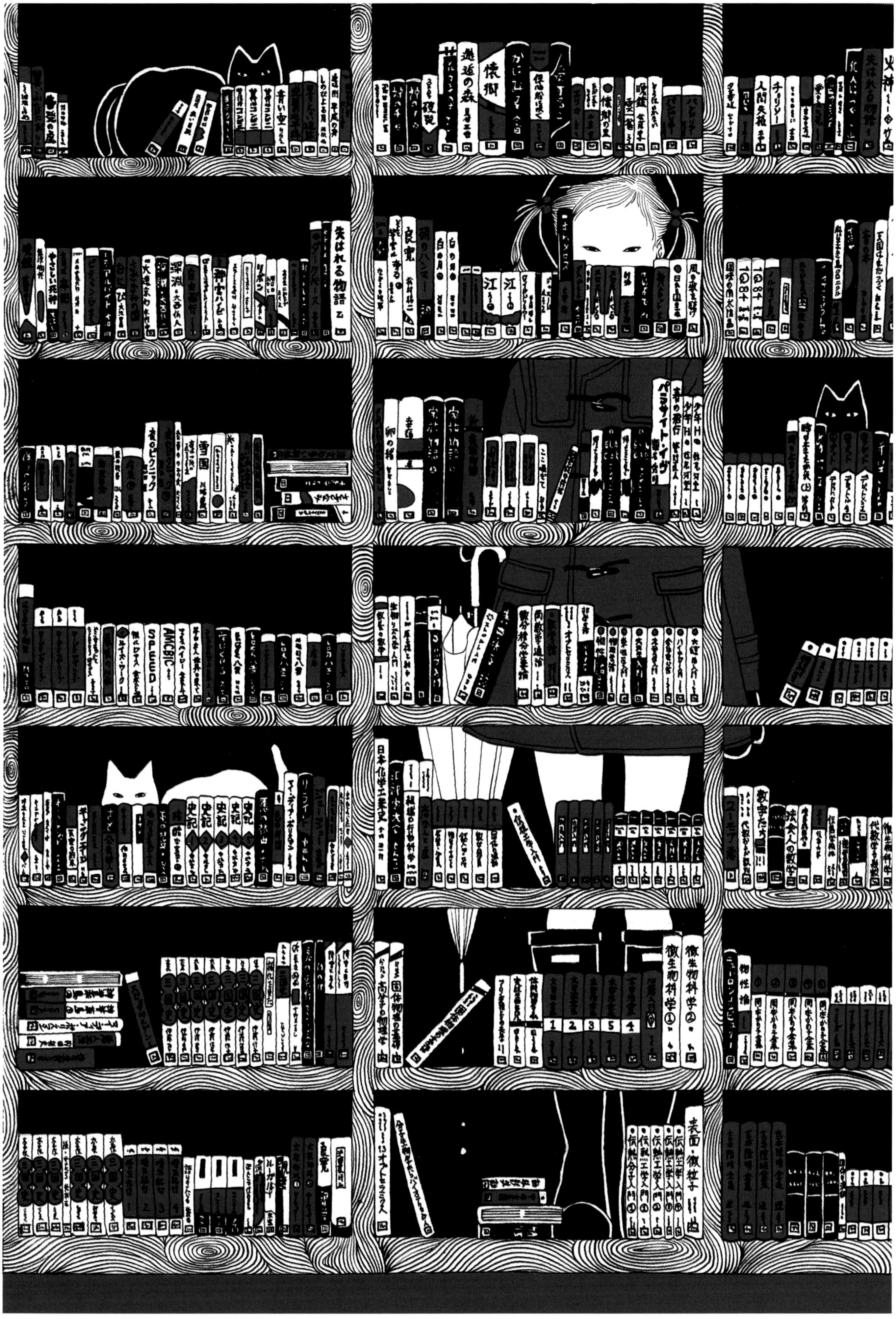

★《見る》2021年、364×257mm、ペン画

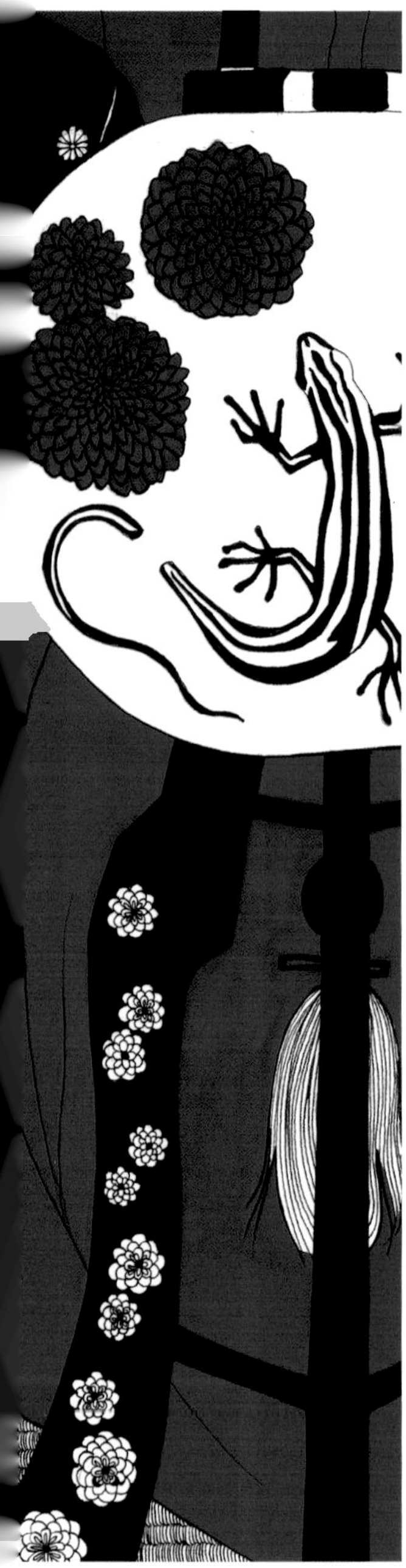

★《ゆうかい》2021年、364×257mm、ペン画

美の価値観を変えようと描く エロスとユーモアに満ちた「不美人画」

溺れる者がつかむ「藁」になる

石松チ明の作品は、クールだ。シンプルな線と色で描かれたデザイン的ともいえる絵だが、見るとちょっとしたアクセントがある。ユーモアといっていいのか、絵という構造を生かして、描くテーマを重ねてあり、ちょっとひねっている。たとえば『みじめな天使』。小さい羽根の裸の天使だが、ポーズも天使っぽくない。羽の上にはタバコ、頭にコカ・コーラ、背中に文房具、お尻に薬の瓶など、遊びがタップリ。ゴージャスな靴下も気になる。『袈裟とふともも』は木魚に足をかけた裸の少女。『捨て女の子』はナスのダンボールに入った少女、捨て猫と入れ替わりだろうか。『あわれな人魚』や『ゆうかい』には、いろはすのペットボトル。ネコに肉球を押し付けられる少女『優しくされたい』など、見ていて、ちょっと微笑み、ニヤリ、クスリとしてしまう作品が多い。

このような作品は、どうやって生まれてきたのか。

石松チ明が美術の世界に入るきっかけは、二度あるそうだ。一度目のきっかけは、物心つく前から絵を描くのが大好きだったこと。小学校でも中学校でも毎日ずっと絵を描き続けた結果、本格的に頭の先まで美術に浸かりたいと考え、浜松の美術科のある高校に進学した。

二度目のきっかけは、大学時代に、精神的な病気になったこと。大学をやめて実家に戻り、ベッドに寝ているだけで精一杯な生活をして、生きるか死ぬかをさまよっていた。そんなとき、生にとどまらせてくれたのは、薬でも法律でもなく、芸術だった。音楽の歌詞の一節や、小説などの文章の一言、美術の画集の表紙だけを一日中眺めて、時をしのいだこともあったという。つまり、芸術作品は石松にとって、「溺れる者は藁をもつかむ」のまさに「藁」だった。

そして、だんだんと病状がよくなってきたとき、「自分には絵が描ける」と改めて気づいた。そこから、「自分にも同じような人たちの「藁」になれるような作品を作れるかもしれない」と思うようになり、目的でなく手段として美術を使おうと、改めて絵を描き始めることになったのだ。では、その心の病は、どうしてだったのだろうか。

一時は美術を離れ、検察官を目指す

石松チ明は、子どものころは、画家か検察官になりたかった。「薬でも法律でもなく」と先述したのは、そうした背景からだ。検察官になりたかったのは、ゲーム『逆転裁判』（カプコン）が好きだったからだ。これは、ニンテンドーDSなどの「法廷バトル」がテーマのアドベンチャーゲーム。二〇年以上続く人気のシリーズだ。

そして石松は、まず画家を選び、高校は美術科に入った。だが、高校で美術を強制的にやらされるうち、スランプや

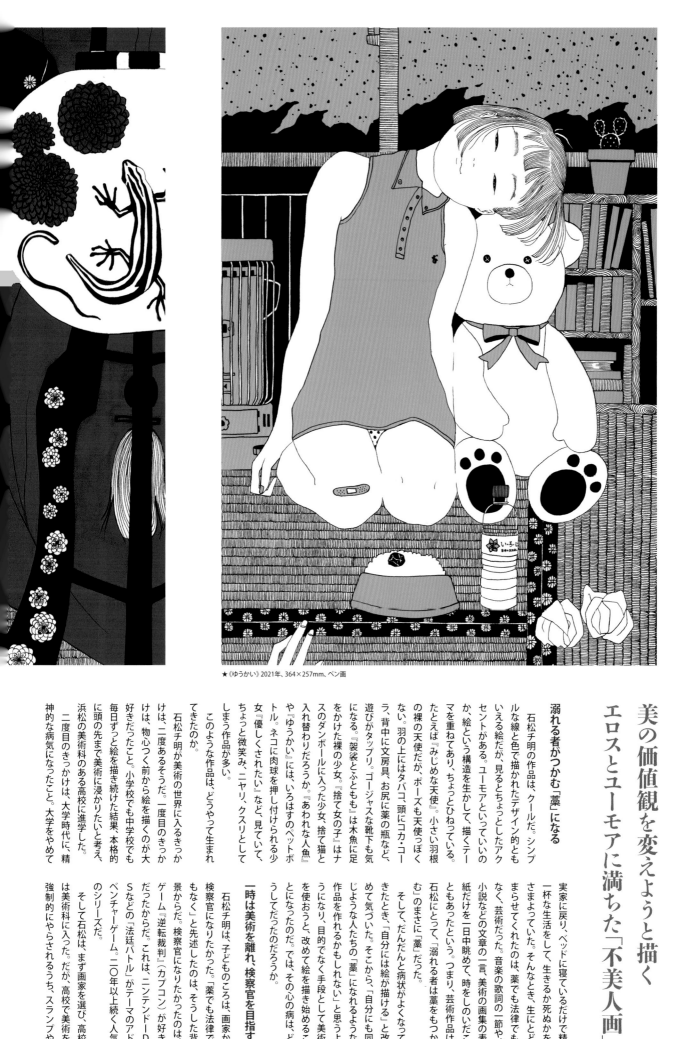

★《袈裟とふともも》2018年、257×364mm、ペン画

教師からの叱咤などさまざまな要因から、美術が嫌いになってしまった。その高校は美大へ行くための訓練校のような場所で、「これでもし美大に入ってしまったら、本当に美術が大嫌いになってしまう」と感じ、「それなら小さいころなりたかったものの、その二を目指そう！」ということで、一般大の法学部の受験を決めた。

「どうせレベルの低い大学にしか受からないんだから美大に行け」と教師にさんざん説得されたことも心に火をつけ、「第一志望に合格してこいつを土下座させてやる！」と意気込み、平日は六時間、休日は一五時間も勉強した。そうやって第一志望に合格したことは、人生で二番目にうれしかったという。土下座はしてもらえなかったが、その先生も喜んでいたそうだ。だが、その大学生時代に心が傷つき、実家に戻り、再び美術を目指すことになったのだ。

なお彼女は現在、法律自体よりも法律を破ることに興味がある。といっても、犯罪の実行ではない。絵という紙の上で、現実では法に縛られてできないことをどう表現していくかということに、関心を持って挑んでいるそうだ。なるほど、その挑戦がいまの作品に現れているといえるだろう。

「不美人画」で美の価値観を変える

石松の作品は、とてもシンプルな描き方で、クールといっていい。どうやって、ここに至ったのだろうか。それは、彼女の高校の授業でペン画があったからだ。当時油絵を専攻していたが、その課題で描いたペン画が思いのほか周囲の評判がよく、一番自分に向いていると思い、また油絵よりも断然元手も安いこともあって、現在の技法になったそうだ。ちなみに石松は、錬金術師になりたいと思っている。だから、高い道具を使うより、安価なものを自らの力でその価値を押し上げるというところに魅力を感じているという。

石松チ明は、「不美人画」というコンセプトを示している。そのきっかけは、石松自身がブスといわれたことだ。彼女が銀行でお金を下ろしているときに、なんだか後ろがざわざわしてるなと振り返った。そのざわざわは男子高校生の集団で、そのうちの一人に、「なんだ、ブスじゃん」といわれた。それを半年ほど引きずり、いまでも少々の心の傷になって残っているという。

でもそんなことをいわれても、自分の顔は、基本的には変えられないし、変えたくない。自分を変えることができないのなら、世界を変えてみようか、というところから始まった。あまり可愛くない女の子を描くことで、「これはこれで魅力あるじゃん」と思わせて、人々の美の価値観をちょっとだけ広げられたら、という思いで「不美人画家」として活動している。

それについて、石松は、「世間的にはよしとされていないものたちにきらめきを」と表現している。これは、可愛くない女の子であったり、電信柱や電線であったり、リモコンだったりハンガーだったり電池だったり、そういった現実には確かに存在しているにもかかわらず、美術や絵画の中では無視されているものを描くことで、そのよさを世間の鼻先に突きつけられたらいい、という意味だ。そう、「いろはす」などが登場するのは、それが理由だったのだ。

また、彼女は「内面の不美人」ともいう。それはそのままの意味で、「いつでも楚々としていて凛としていて、あらゆる

★《捨て女の子》2019年、364×257mm、ペン画

★《優しくされたい》2021年、257×182mm、ペン画

意味で『良い』女性」ではなく、「不貞腐れたり不機嫌になったり気まぐれだったり、いろんな意味でしょうがない女の子」だっていいじゃん!ということだ。

何気なく発した言葉が、どれほど人を傷つけるのか。自らを振り返ってみても、自分がこだわる「傷」を相手が覚えていないことは、よくある。そして、こちらも同じような「傷」を相手に与えているに違いない。だがそれが結果として、創造のきっかけになることもある。石松にとって、高校美術科からの法学部進学も、挫折も、そうやって彼女を変えてきた。そして、そこからこの「不美人画」が生み出されたのだ。

サドマゾヒズム的な精神の縛り合い

彼女の作品には独特のユーモア、ブラックユーモアなどが、描き方やアイデアなどに感じられる。だが、石松は、ユーモアについて具体的に考えたり、意図して入れ込んだりしたことはないという。そしておそらく、「綺麗なものを綺麗なままで終わらせたくない」という天邪鬼思考から出てくるものが、はたから見たらユーモアに見えているのだと思うと述べた。

石松は、サドマゾヒズムに関心が高い。幼少期、母親に『親指姫』の童話を読んでもらったときに、「自分が親指姫になって、大きな手に好き勝手されたい」という感覚と同時に、「小さな親指姫を自分の手のひらの中で弄びたい」という衝動に駆られた。これがサドマゾヒズムの目覚めだった。

そして、二十一歳になったとき、「そういえば自分はいじめたりいじめられたりが好きだった」と思い出したのが、サドマゾヒズムの開花だったという。ザッヘル・マゾッホ『毛皮を着たヴィーナス』、ツルゲーネフ『はつ恋』、河野多恵子『みいら取り猟奇譚』、ジル・ドゥルーズ『マゾッホとサド』などさまざまな本を読み漁り、サドマゾヒズムにひたひたに浸っていたそうだ。

だが彼女は、一般的に「SM」という言葉から連想される鞭やロウソクや緊縛のようなものには一切関心がなく、あくまで人間による人間のための精神の縛り合いとして興味がある。また、実際に自分がサドマゾヒズム的なことをする、というよりも、頭の中でそれを永遠に空想するほうが好きなのだという。

石松は、そうしてまさに『おやゆびひめ』を描いている。掌に載せた上半身裸の「おやゆびひめ」を描く様子を描いたその絵は、その入れ子になった構造から、描く彼女と同時に、描かれる彼女でもあることを示しているのかもしれない。タバコなどを乗せられた『みじめな天使』や、木魚で叩かれる『袈裟とふともも』、乞食をする『あわれな人魚』、腕を齧る『ウエハースにしてやる』などにも、サドマゾヒズムという視点からも見えてくるものがある。

エロティシズムを突き詰める

石松チ明は、人間という存在を憎みに憎んでそれを退け、その真逆である動物の身体性にはまって、カエルやヘビの交尾ばかり描いていた時期があったという。カエルやヘビなどの動物によけいなものがなく、ただ生物として生まれ子孫を残すことだけを目指して朽ちていく、という部分が、当時の彼女には、とても魅力的に見えていたそうだ。

だがいまは、それがまったく逆転し、人間の持つ愚かさも含めて愛おしいと思い、人間の精神性を描くようになった。その筆頭が「マゾヒズム」だ。エロティシズムは、彼女の人生における最も重要な課題だ。自分が「エロい!」と思うものを突き詰めて考え、「どうしてそれをエロいと思うのか?」、「なんのきっかけでエロいと思うようになったのか?」といったように深掘りして答えを出していくことこそ、自分がやるべきことだと思っている。絵はその副産物みたいなものなのだという。

エロティシズム、マゾヒズム、サディズムは身体的なものと精神的なものが重なる観念であり、感覚でもある。性的欲望と精神的な欲求がどう結びつくのかは、性と愛というテーマとともに、永遠の課題といえる。石松の作品は、そのエロティシズムやマゾヒズムがさりげなく漂ってくるところも、魅力なのだ。

ビアズリーから若冲へ

彼女は高校のとき、油絵の授業をサボって雑誌を見て衝撃を受けて以来、ずっとオーブリー・ビアズリーに一途だった。ビアズリーのような絵が描きたいという思いから、一時期は朝から晩まで図書館でビアズリーの英語の文献を読んでニヤニヤしていたという。そして、ビアズリーが影響を受けた葛飾北斎も好きで、模写などをしていた。だが最近になって、彼女の中では伊藤若冲が台頭してきたそうだ。美人になれなくても、頭がよくなれなくても、お金持ちになれなくてもいいから、「若冲になりたい」と思っている。「あんな絵が一枚でも描けたら、この存在が消えてなくなっても構わない」とまで述べた。また、存命の画家では笠井誠一が好きだという。一九三二年生まれの笠井は、藝大からパリで学び、愛知県立芸大教授もつとめた。その作品は、シンプルな線が特徴の静物画。細いくっきりとした線に彼女

★《おやゆびひめ》2017年、257×182mm、ペン画

エロティシズムを深掘りしていくことこそ自分のやるべきことだと思う

が惹かれるのが、わかる気がする。

スピッツの詩の系譜を次代に

彼女は、美術家以外では、太宰治と音楽のスピッツが何よりも大好きだと、たびたび述べている。そして、詩人・評論家の吉本隆明はこの世で一番尊敬している芸術家だ。政治は抜きにして、彼の文章から発せられる暖かな陽だまり感がとても好きだという。また、ザ・スターリンの遠藤ミチロウに関心があり、日本で唯一、詩人としても通用する歌詞が書けるミュージシャンだと思っている。スピッツの草野マサムネは、詩に関して遠藤ミチロウの影響を、遠藤は吉本隆明の影響を、そして吉本は太宰治の影響を受けていることを最近知ったそうだ。そして、そこに芸術の血脈はあると感じ、彼女もだれかに自分の血をつなげられたらいいと思っている。彼女の最大の目標は、自分を通じて、草野マサムネの血を次の世代につなぐことだ。一番は、彼の名前を冠する詩の賞「草野正宗賞」の創設をしたいが、自分がスピッツの詩の評論を書くことも考えているという。

もう一つの目標は、画家として生きて画家として死ぬことだ。その過程で、本の装画やCDジャケットなどのイラストであったり、短歌やコラムなど文字を書く仕事であったり、自分の持てる力を余さず出し尽くして、さまざまな挑戦をしていきたいと目論んでいる。また、幼少期住んでいたアメリカに画業で進出したいので、二〇二三年の目標は、アメリカの絵画の賞を獲ることだという。

このような具体的な目標があることは、美術家には珍しいかもしれない。また、石松が言葉と思考にもこだわっていることがよくわかったが、そういう思いがありながらも、彼女の作品は、言葉で簡単に説明できない、どこか不思議な魅力がある。そして、本の表紙など、イラストレーション的な仕事に合う絵だが、それはビアズリーにも通じるだろう。ビアズリーの作品にも、エロスが満ちたものがいくつもある。しかし、石松の作品はそれ以上に、何気に描かれたアイテムやアイデアがあり、多層性を生み出しているといえるだろう。もっとさまざまな作品が見てみたい、作品集が見たい、そう思わせる美術家として、今後の活躍に期待したい。（志賀信夫）

●文＝沙月樹京

★《weeping angel》2021年、30×30cm、Digit Painting/Canoson- Museum Canvas Pro Lustre

Zihling
ヅゥリーン

★《リボンプリンセス》2022年、25×30cm、Digit Painting/Canoson- Museum Canvas Pro Lustre

★《Daydream in bookcase》2020年、45×30cm、Digit Painting/Canoson- Museum Canvas Pro Lustre

★《アリスのお茶会》2019年、30×30cm、Digit Painting/Canoson- Museum Canvas Pro Lustre

少女たちは、まるでドールのようであり、
怪物のようでもある

★《変態少女》2020年、31×31 cm、Digit Painting/Canoson- Museum Canvas Pro Lustre

★《タイル上の王座》2020年、42×30cm、Digit Painting/Canoson- Museum Canvas Pro Lustre

★《グミベア》2021年、21×29.7 cm、Digit Painting/Canoson- Museum Canvas Pro Lustre

★《装飾的な乙女》2021年、30×21cm、Digit Painting/Canoson- Museum Canvas Pro Lustre

甘さとグロテスクさが
共存する孤独な劇場で
永遠に続く一人芝居

★《Fallen angel》2021年、50×75cm、Digit Painting/Canoson- Museum Canvas Pro Lustre

★《Hidden Room》2018年、30×42cm、Digit Painting/Canoson- Museum Canvas Pro Lustre

Zihlingは、少々以前になるが、本誌file.04でも紹介した。描くのは、ロリータ的ファッションに身を包んだ、大きな瞳、厚い唇をした少女像。近年は、顔や身体などをふっくらと立体感を強調して描くようになってきており、少女の存在感はいっそう増している。台湾のアーティストだが、日本の作家の作品だと言われても疑問に思わないだろう。それはおそらく、幼少の頃から日本やアメリカのアニメやマンガ、映画に親しみ、作品にも台湾らしいモチーフはほとんど見られないからだ。

そして、甘い感じの少女像でありながら、少しばかりグロテスクな要素をまぶしているのもZihlingの特色だ。Zihlingは「陰性シンボル」に惹かれると言い、また描く少女たちは、「まるでドールのようであり、怪物のようでもある」と言う。グロテスクな要素は、ある意味、少女を非人間化し、怪物のように無敵な存在にする魔術的なアイテムなのかもしれない。そして非人間化は、ドールとなって、永遠の時間を生き続けることにもつながる。

ドールということで付け加えれば、その少女たちは、まるでドールハウスのような閉鎖空間にひとり閉じこもり、自分だけの遊戯に耽っている存在でもあろう。だから今回の個展のタイトルも「モノドラマ」(一人芝居)。心許す遊び相手は人形たちだけであり、しかし、そうした孤独をこそ少女は愛する。

そこにある自己愛は、少女を飾るロリータ的な要素にも投影されていよう。そうしたものと「陰性シンボル」によって形作られた無敵な鎧を纏って、Zihlingの少女たちは、永遠に孤独な劇場で遊戯を続けていく。それは幸福な時間であるにちがいない。 (沙月樹京)

※Zihling 個展「モノドラマ」は、2022年12月16日〜19日に、東京・曳舟のgallery hydrangeaにて開催された。

◉文＝沙月樹京

★《充たされた気持ちを運ぶ香りⅡ》2021年、333×242mm・アクリル・綿布・木製パネル

HAMAGUCHI Mao
濵口　真央

★《香るものたち》2023年、240×190mm、鉛筆・ワトソン紙

NAKAI Musubu

中井　結

★《交信》2023年、240×190mm、鉛筆・ワトソン紙

★《静物》2023年、533×533mm、アクリル・綿布・木製パネル

蝶が導く、頽廃美に埋もれた少女の情景

多彩な色彩や模様の羽をはばたかせ、軽やかに宙を舞う蝶。採集し標本にすることを趣味にする者も多い。その美しい姿が、幼虫からの完全変態によって出現するところも人の興味を引くところだろう。

だがその蝶も、古くから世界各地で人の死や霊と関連付けられてきた面がある。死んだ霊の化身とみなされたり、不死の象徴とされたり、死の前兆と恐れられたりもしていたのだ。

濱口《はまぐち》真央と中井結は、2010年より断続的に「蝶葬の日々」と題した2人展を開いてきた。そのタイトルにもやはり、死と蝶にまつわるイメージが投影されているのだろう。その初回の展示のメインヴィジュアルに使われたのは、濱口が描いた、目を閉じて横たわりレースをかけられた少女の絵。その鼻先に蝶が止まっていて、蝶が死のイメージを華やかに彩っている。

4月に開く「蝶葬の日々Ⅳ」では、濱口は、果物の山に埋もれ蝿にたかられている少女を描いている。そこに死を想起するのは容易だ。美しくありながら、死や頽廃に陶酔する少女の儚さ、または不穏さを濱口は繊細に描き出す。

一方、中井が描くのも、頽廃的、耽美的な少女の情景だ。そこにエロスの表象をまぶし、そして蝶を舞わせてタナトスも纏わせる。ときに画面に、鑑賞者へ向けられた目を紛れ込ませるなど、さまざまな象徴的なシンボルを散りばめているのも、その作品の特色だ。

コロナ禍によって3年の延期の末、ようやく開催される2人展。とりわけ、海外での人気が高まっている濱口の作品が国内で見られる絶好の機会。死と生を軽やかに行き来する蝶が導く耽美の世界を堪能されたい。（沙月樹京）

◉濱口真央・中井結 二人展「蝶葬の日々 Ⅳ」
2023年4月27日（木）～5月1日（月）会期中無休
13:00～18:30（最終日～17:00）
入場無料
場所／東京・曳舟 gallery hydrangea
Tel.03-3611-0336
https://gallery-hydrangea.shopinfo.jp/

HIINA Kayuli

緋衣汝　香優理

◉写真＝田中 流／文＝沙月樹京

★『眠レヌ森ノ姫』2012-2021年、石塑・自作眼球・胡粉仕上げ

★《「羊と小間使い」Colette》2020年、
石塑・自作フラーティアイ・可動舌・胡粉仕上げ

長いまつ毛、神秘的な表情、
演劇の一場面を観るかのような饒舌さ

★《「黄泉の国のアリス」QUEEN ALICE》2021-2022年、石塑・自作眼球・胡粉仕上げ

★《「赤い靴」Karen》2021-2022年、
石塑・自作眼球・胡粉仕上げ／衣装：ロサ・アンティカ

★《「ふたごのアナイス」Anaïs et Inès》、2016-2018年、石塑・自作眼球・胡粉仕上げ

★《青髯の娘》2020年、石塑・自作眼球・胡粉仕上げ／衣装：椎名黎衣子

★《「Bye-bye Wendy」Peter Pan》2021-2022年、
石塑・自作眼球・胡粉仕上げ／衣装：ロサ・アンティカ

★（右）《「青い鳥」Mytyl》2021年、石塑・自作眼球・胡粉仕上げ
（左）《「青い鳥」Tyltyl》2021年、石塑・自作眼球・胡粉仕上げ

★《塔の中の黒霧姫》2019-2020年、
石塑・自作フラーティアイ・可動瞼・胡粉仕上げ
／衣装：椎名黎衣子

★《白い曼珠沙華》2010-2016年、石塑・自作眼球・胡粉仕上げ

★《追憶》1991-2010-2016年、石塑・自作眼球・胡粉仕上げ

★《「向日葵と狼」狼》2020-2021年、石塑・自作眼球・胡粉仕上げ
／衣装：ロサ・アンティカ

★《「猫のカルナバル」Chocolat》2021年、石塑・自作眼球・胡粉仕上げ・尻尾
／衣装：ロサ・アンティカ／ボストンバッグ：鈴木／羊毛フェルト猫：ゆうゆう工房

★展示風景

★《白い花束》2019年、石塑・硝子眼球・モデリングペースト仕上げ

アンティークな空間で妖しい物語性漂わせる人形たち

銀座のメインストリート中央通り、GINZA SIX から少し新橋方向に歩いたビルの2階に銀座人形館 Angel Dolls はある。アンティークドールやレプリカドール、テディベアなどから現代作家の人形までが、アンティーク調家具などに囲まれて並ぶ、時代を遡ったかのような空間のお店だ。今年で20周年と、長く人形文化の浸透に貢献している。

そしてその奥には催事スペースがあり、人形はもちろん、絵画などの展示もおこなわれている。そこで昨年11月、緋《ひ》衣汝香優理《いなかゆり》の個展「贋御伽草子」が開催された。緋衣汝は女子美術大学絵画科卒、1980年より人形制作を始めたキャリアの長い作家だ。2004年には人形写真集『少女伽藍』を出版し、その記念展をこの銀座人形館で開いている。そして今回は、2010年にパラボリカ・ビスで開催した「翼の記憶」以来、12年ぶりとなる個展となった。

緋衣汝は独学で、古典的技法も含めて人形表現を探求。主に石塑粘土を用い、胡粉による柔らかな質感も麗しい作品を生み出している。素朴な人形もあるが、長いまつ毛を持ったどこか妖しさを湛えた人形が特徴的だ。

今回の個展では、薄暗い照明とアンティーク調家具によって演出された空間に人形が多様なポーズで配置され、まるで演劇の一場面を観ているかのような印象を観る者に与えただろう。写真集『少女伽藍』も人形を用いて禁断の物語を展開した本だったが、そうした物語性と妖しさが今回も会場に漂っていた。もちろん、人形が纏う、レースなどで飾られた豪奢な衣装も、その空気感を彩っている。銀座にいながら、どこか異国へ旅したかのような感覚に浸れた展覧会であった。

（沙月樹京）

※緋衣汝香優理 個展「贋御伽草子」は、2022年11月4日〜15日に、東京・銀座の銀座人形館Angel Dollsにて開催された。

※銀座人形館Angel Dollsでは、ビスクドールの人形教室を開催中。詳細→https://www.angel-dolls.com/
また緋衣汝香優理も千葉県柏市で人形教室を開催している。詳細はTwitter @HKayuli

◉文＝志賀 信夫

★《The Invisible Garden》2020年、33.3×33.3cm、キャンバスに油彩・テンペラ・アルキド樹脂絵具

KITOH Atsuko

喜藤　敦子

★《光の草原》2022年、65.2×100cm、板に油彩・テンペラ

★《新しいドレス》2022年、24.2×33.3cm、キャンバスに油彩・アルキド樹脂絵具・テンペラ

★《眠れない夜の羽音》2023年、30×40cm、板に油彩・テンペラ

★《薔薇の少女たち》2022年、45.5×45.5cm、板に油彩・テンペラ

★《Sweet Dreams》2022年、72.7×60.6cm、板に油彩・テンペラ

ふたりの少女を描くときは、なぜかいつも、
おかっぱとロングヘアの組み合わせになる

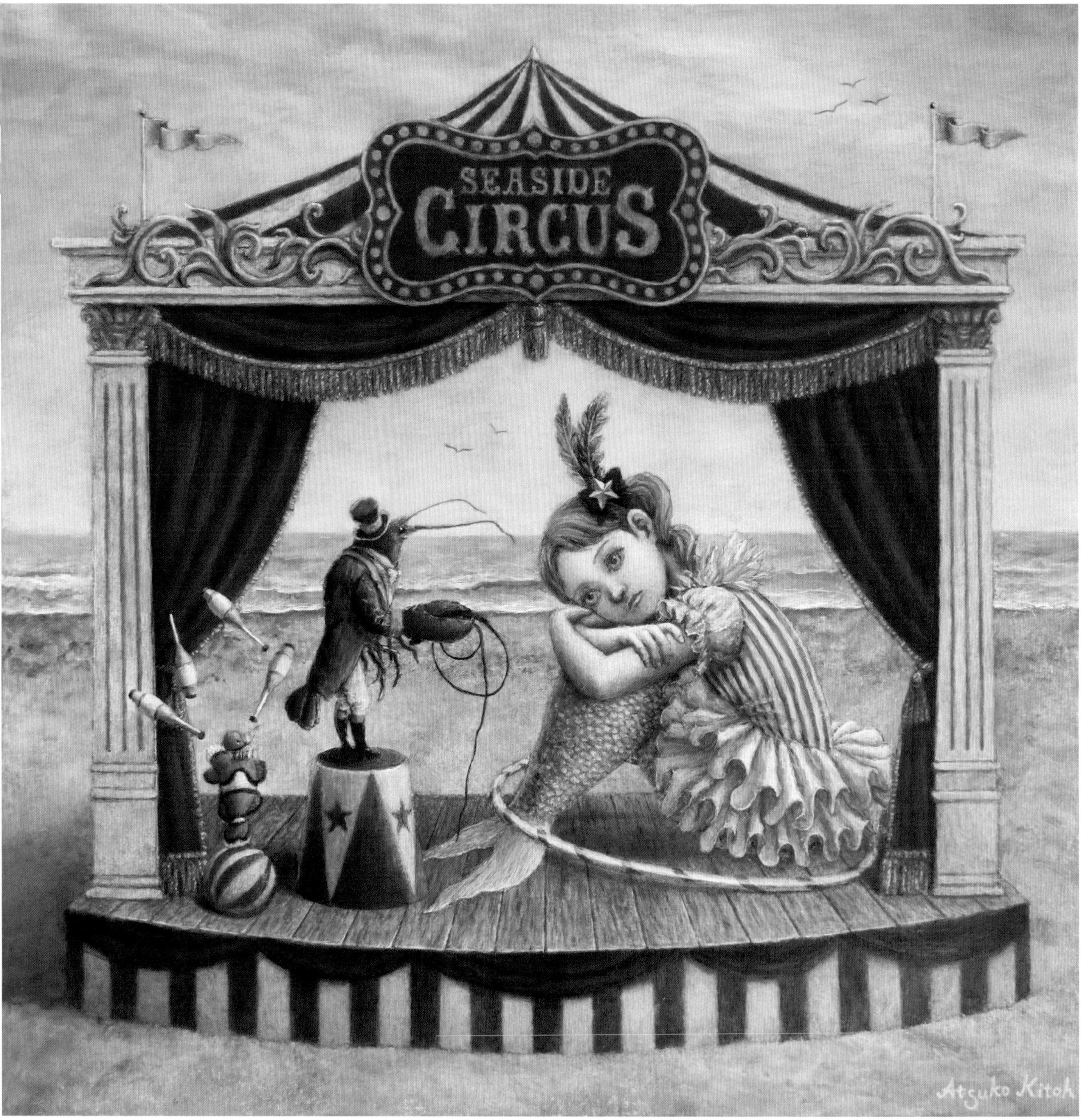

★《海辺のサーカス》2021年、33.3×33.3cm、板に油彩・テンペラ

★《モッコウバラの咲く頃》2021年、33.3×53cm、板に油彩・テンペラ・アルキド樹脂絵具

★《秘密の部屋》2020年、21×29.7cm、紙に鉛筆

油彩とテンペラの混合技法で
物語性豊かな幻想世界を描く

★《トワイライト・ガーデン》2015年、
145.5×145.5cm、板に油彩・テンペラ

★《The Star Finder》2019年、
15.8×22.7cm、板に油彩・テンペラ

絵本の世界から

喜藤敦子の作品は、童話的な雰囲気がある。だが、それはメルヘンというのとは、ちょっと違う。昔の西洋の風景の中にいる少女たち、そして動物たちが、目に見えない物語を紡いでいる。そして少女たちの眼が冷ややか、クールなのも特徴の一つだ。その眼は何を語っているのだろうか。

喜藤敦子は、子どものころから絵を描くことが好きだった。小学・中学生のころは、そのとき好きな漫画やアニメの絵を描くことが多く、当時文通をしていた女の子と描いた絵を送り合ったりしていた。中学校の図書室の雑誌コーナーには、絵本雑誌の『MOE』が置いてあり、毎月読んで、そこで活躍していた東逸子、きたのじゅんこ、北見隆、高田美苗、ひらいたかこらの絵に憧れていた。当時イラストコンテストに応募していた深瀬優子の絵にも衝撃を受けた。同じ図書室にあった、高田美苗がイラストを描いた『妖精のそだてかた』（葛城稜著、白泉社、一九九四）が好きで、妖精の絵を真似して描いたり、『〈幻想文学館〉恐ろしい幽霊の話』（くもん出版、一九八九）の建石修志の鉛筆画に圧倒されたりしていた。

高校は美術課程だったが、大学は美大へは進まず、しばらく絵から離れていた。特に画家になろうと思って活動していたわけではなく、回り道もたくさんしながら、徐々に現在の方向に流れ着いたような感じだという。

川口起美雄と混合技法

社会人になってからも、デッサンやイラスト、3DCG、銅版画、絵本など、さまざまな表現を学びながら、自分に合う方法を模索していた。そして、油彩とテンペラの混合技法について興味を持ったことがきっかけで、学べる場所を探して川口起美雄（一九五一〜）の教室にたどり着いた。川口の教室に通い始めてもうすぐ一〇年。ここでようやく自分に合った技法に出合うことができた。

「こんな変な絵で怒られるかな」と思いながら持っていった絵も、川口は「面白い」と褒めてくれるなど、個性を伸ばす指導を受けたことで、のびのび制作することができた。教室には古典絵画の画集がたくさん置いてあり、川口はそれらを参照しながら、自分の絵の中に取り込んでいく方法を的確にアドバイスしてくれた。川口はどの分野も知識が豊富で、技法だけでなく、美術の歴史や絵を描くときの考え方など、その話か

★《秘密》2017年、24.2×41cm、板に油彩・テンペラ

★《忘れられた風景》2014年、26.5×41cm、板に油彩・テンペラ

らいつも多くのことを学んでいる。

川口の教室で教わっているのは、油絵具とテンペラ絵具を併用した混合技法だ。それまでに試してきた技法は、水彩や銅版画は後からやり直しができず、アクリルは乾いたときに色が変わってしまう、などの難しさを感じていた。そして、自分には少しずつ修正を加えながらじっくり描いていくやり方が合っているのではと思い、油彩を考えた。そんなとき、好きな画家の深瀬優子や出久根育が、油彩とテンペラ（または他の絵具）を塗り重ねながら描いていく混合技法で描いていることを知り、どんなものかと興味を抱いた。そして川口に学び、その技法で現在も描いている。また、建石修志に鉛筆画を学んだので、鉛筆で制作することもあるという。

川口起美雄は、テンペラと油彩の混合技法で著名な画家だ。建石修志とともに、銀座の青木画廊など見てきた。青木画廊は、澁澤龍彥、四谷シモンなどを中心に、池田龍雄などの前衛画家、幻想画家が集った画廊で、人形作家、四谷シモンのデビューの場でもある。一九六一年に青木外司《とし》が開廊し、筆者も澁澤の本で知って、八〇年代から時折訪れるようになった。本誌でも、この画廊で展覧会を行う建石修志、高松潤一郎、多賀新などを取り上げてきた。

二〇一七年には五五年の歴史を辿る『一角獣の変身――青木画廊クロニクル 1961-2016』（風濤社）が刊行された。そして三年後、二〇二〇年に外司氏が他界、しばらく前から代表となっていた径《こみち》氏がその夫人とともに頑張っていた。ところが、二二年にビルの老朽化による建て替えで移転が決まり、公表されたが、同年一二月一四日、その径氏が急逝された。日本の美術界に多大な影

★《静な夜のワルツ》2022年、25.8×26.7cm、板に油彩・テンペラ

響を与えてきたこの青木画廊が、今後どうなるのか。気になるところである。

物語を想像させる絵画

喜藤敦子は、初めは少女の登場しない、動物だけの絵も描いていた。だが、二〇一四年制作の『忘れられた風景』には、動物に加えておかっぱ頭の少女が登場する。それまでなかなか自分の作風が定まらなかったので、同じ髪型の女の子が出てくれれば、同じ人が描いた絵に見えると思ったのだ。その後しばらくはおかっぱの子が主人公の絵が続くが、いまは他の髪型も描いている。少女が二人出てくる絵では、なぜかいつもおかっぱとロングヘアの組み合わせになるという。展示を見に来た客から、絵の中のおかっぱの子はロングヘアの子に憧れを抱いているように見えるといわれて、ハッとした。無意識のうちにそのように描いていたかもしれなかったのだ。

彼女は、見る人にさまざまな物語を想像してもらえる絵が描けたらと思って描いている。ほかの画家の作品を見るときも、そのような絵に魅了されるそうだ。そして幻想とは、現実からかけ離れた世界というよりは、現実の延長線上であるなど、現実の中に潜んでいるものと考えている。

シュルレアリスムに惹かれて

喜藤は、中学生のときに見た展覧会で、ポール・デルヴォーやルネ・マグリットの絵を知って以来、ずっとシュルレアリスムの画家の絵に惹かれてきた。ほかに好きな画家として、ベルギー象徴主義のウィリアム・ドグーヴ・ド・ヌンク（一八六七〜一九三五）、フランスの風景画家アンリ・ル・シダネル（一八六二〜一九三九）、フェルナン・クノップフ、エド

★《夢の岸辺で》2022年（2023年加筆）、41×31.8cm、板に油彩・テンペラ

ワード・バーン＝ジョーンズ、ジョゼフ・コーネル、ドイツの動物を描くミヒャエル・ゾーヴァ（一九四五〜）、フランスの風刺画家J・J・グランヴィル（一八〇三〜四七）、イギリスのスティーヴン・マッキー（一九六八〜）、イタリアのニコレッタ・チェッコリ（一九七三〜）をあげた。

絵本作家ではスロヴァキアのドゥシャン・カーライ（一九四八〜）、チェコスロヴァキア出身のピーター・シス（一九四九〜）、米国のエドワード・ゴーリー（一九二五〜）、絵本画家はオーストリアのリスベート・ツヴェルガー（一九五四〜）、イギリスのアンジェラ・バレット（一九五五〜）など。そして、美術家以外では、宮沢賢治、稲垣足穂、セルゲイ・ラフマニノフ、ヤン・シュヴァンクマイエル。シュヴァンクマイエルは、シュルレアリストでもある映像作家だが、人形で生み出す世界は類がない。

喜藤敦子は、二〇二二年八月には、みうらじろうギャラリーで初めての個展を開催したが、二四年一月に二度目の個展を予定している。二三年は、みうらじろうギャラリーのほか、スパンアートギャラリー、丸善・丸の内本店四階ギャラリー（ドルスバラード主催）、Gallery ARKなどでグループ展がある。まだまだ作品数が少ないので、もっとたくさん描いて表現を磨いていきたい。鉛筆画の作品も増やしていきたいと述べた。

絵本の世界からシュルレアリスムを経て、独自の世界を築いてきた喜藤敦子。混合技法による歴史を感じさせるしっかりとしたマチエールで、少女たちの幻想を描き出すこの画家は、今後も少しずつ、着実に世界を広げていくだろう。絵の中で、静かにこちらを見つめる少女たちの眼に、作家の確かな眼差しを感じている。

（志賀信夫）

◉文=並木 誠

★《宝石少女》2022年、24×24cm

SATO Ayane
佐藤　文音

★《私を忘れないで。》2021年、26×18cm

夜、締めたカーテンの向こうで
何が起きているか空想を巡らす

★《Lunatic》(『宝石少女』より) 2022年、34×34cm

★《祝福と言う名の何か》(『宝石少女』より) 2022年、24×30cm

★《証》(『宝石少女』より) 2022年、32×46cm

★《秘密の話》(『宝石少女』より) 2022年、24×30cm

★『ふしぎなニャーチカ』より、2021年、42×26cm

★『ふしぎなニャーチカ』より、2021年、42×26cm

★『ふしぎなニャーチカ』(神宮館) 表紙、2021年、22×26cm

★《大人は秘密を守る》2022年、12×12cm

夜のノワールな雰囲気を漂わせる謎めいた白昼夢の世界

東高円寺にあるギャラリーカフェ＆バー・オンディーヌに、ある意味、佐藤文音のトレードマークでもあろう作品がある。『私を忘れないで。』と題されたその作品は黒の諧調も美しく、ディテールも綺麗。重い雲が立ち込め、その雲間から稲妻が落ち、草原には一本の木。それらを背景にして、肩出しのワンピースを着た、頭が魚の異形な者が立つ。どこか謎めいてシュールな作品である。それが私と佐藤文音作品との出会いであった。彼女のリトグラフは、風刺的で白昼夢で耽美的でありつつ、確かな技術に裏打ちされた硬質さもあわせ持っている。

佐藤の作品には、ノワールな夜の雰囲気が漂うが、実生活においても、会社が終わって夜中の24時前後に帰宅し、そこから朝の5時まで制作するという、夜型の制作スタイルをここ10年続けてきている。彼女の作家生活に理解のある職場ゆえに成り立っている習慣だ。

佐藤は、「夜は外から音が聞こえず、自分の世界に閉じこもることが出来るのが好き」だと言う。「カーテンを閉めると、その向こうでは何が起きているのか分かりません。本当は私以外の全ての人は『人間』じゃなくて、私が見ていないのを良いことに『人間のふり』をやめて休憩しているかもしれません。巨大な魚が泳いでいるかもしれませんし、隣人がゾンビとデートしてもいいです。朝がきてカーテンの隙間から光を感じると、私の世界は終わるので、早く起きた人のためのニュースを見ながら眠りにつきます」。

『私を忘れないで。』も、そんな佐藤の「巨大な魚が泳いでいる」「隣人がゾンビとデートしたりしている」という、夜の夢想の賜物なのであろう。

佐藤文音は、１９８６年、北海道生まれ。武蔵野美術大学造形学部油絵学科版画専攻卒業。リトグラフ工房のラール・ヴェリテリトグラフ研究所所属。２０１８年に『ボローニャ国際絵本原画展』に入選し、その入選作品『ふしぎなニャーチカ』は神宮館より出版されている。

佐藤は最初から版画に興味があったわけではないという。小学校の頃から絵画教室に通い、中学・高校を通して油絵を描き、大学も油絵学科を志望するが不合格に。そのため併願していた版画科に入学したという。

まさに「版画って何だ?」というところから始めたのだが、蓋を開けてみれば、版画の奥深い世界に開眼。技術を必要とする「職人の世界」であることにも居心地の

★《昨日見た夢の話》2022年、25×20cm

良さを感じる。特に「描いたものがそのまま版になる」リトグラフとの相性は抜群であったという。大学を卒業して所属したラール・ヴェリテリトグラフ研究所では師の石橋泰敏から「版画の黒の美しさ、幅の広さ」の教授を受ける。今では、深夜に描画する時間も師の指導も、インクの香りやローラーを転がす時の音にも愛着を感じるそうである。プレス機を通した後、刷った作品の黒がバチッと決まった瞬間に感じる快楽に勝るものはないという。

彼女は今も昔も漫画好きで多読するが、子供の頃はインターネット黎明期で、ニッチな耽美系やノワールでシュールな作品を知る術がなく、漫画の王道を歩んでいた。だが上京して美術予備校の友人に漫画雑誌「ガロ」を教えてもらうと自分のシュール系作品への趣味が理解出来るようになり、美術館で見つけた「トーキングヘッズ叢書（TH Series）」の世界にまさに活路を見出す。以後は古本屋巡りをし、学校の図書館や映像資料館に入り浸り、ゴシック、退廃、耽美、ストップモーションアニメの世界を狩猟するに至る。七戸優の絵画やヤン・シュヴァンクマイエル、ブラザーズ・クエイ、ユーリ・ノルシュテイン等の作品世界に愛着があるそうだ。

また、B級C級ホラーが好きではあるが、特に自分の作品への影響はなく、その、さしたる意味もない「粗さ」に笑ってしまって元気がでるのと、「粗さ」にめげず最後まで作品を完成させる心意気にシンパシーを感じるとのことである。自分も、途中で投げださずに最後まで作品をつくっていきたいと佐藤は語る。

昨年の不忍画廊での個展では、画廊の絵本プロジェクトとして『宝石少女』を上梓した。「ある街で稀に、七歳までの少女に天使の翼のように、祝福された証のように宝石が生えてくる」そんな耽美的で美しい物語だ。

時計の針が24時を回る頃、外の世界を遮断し、カーテンを閉じてから始まる夢見がちな儀式ともいえる創作行為。夜の版画家としてのエッセンスがその『宝石少女』にも詰まっていた。

（並木誠）

◉佐藤文音 個展
「愛してるって言えばよかった。」
2023年7月27日（木）〜31日（火）会期中無休
13:00〜18:30（最終日〜17:00）
入場無料
場所／東京・曳舟 gallery hydrangea
Tel.03-3611-0336
https://gallery-hydrangea.shopinfo.jp/

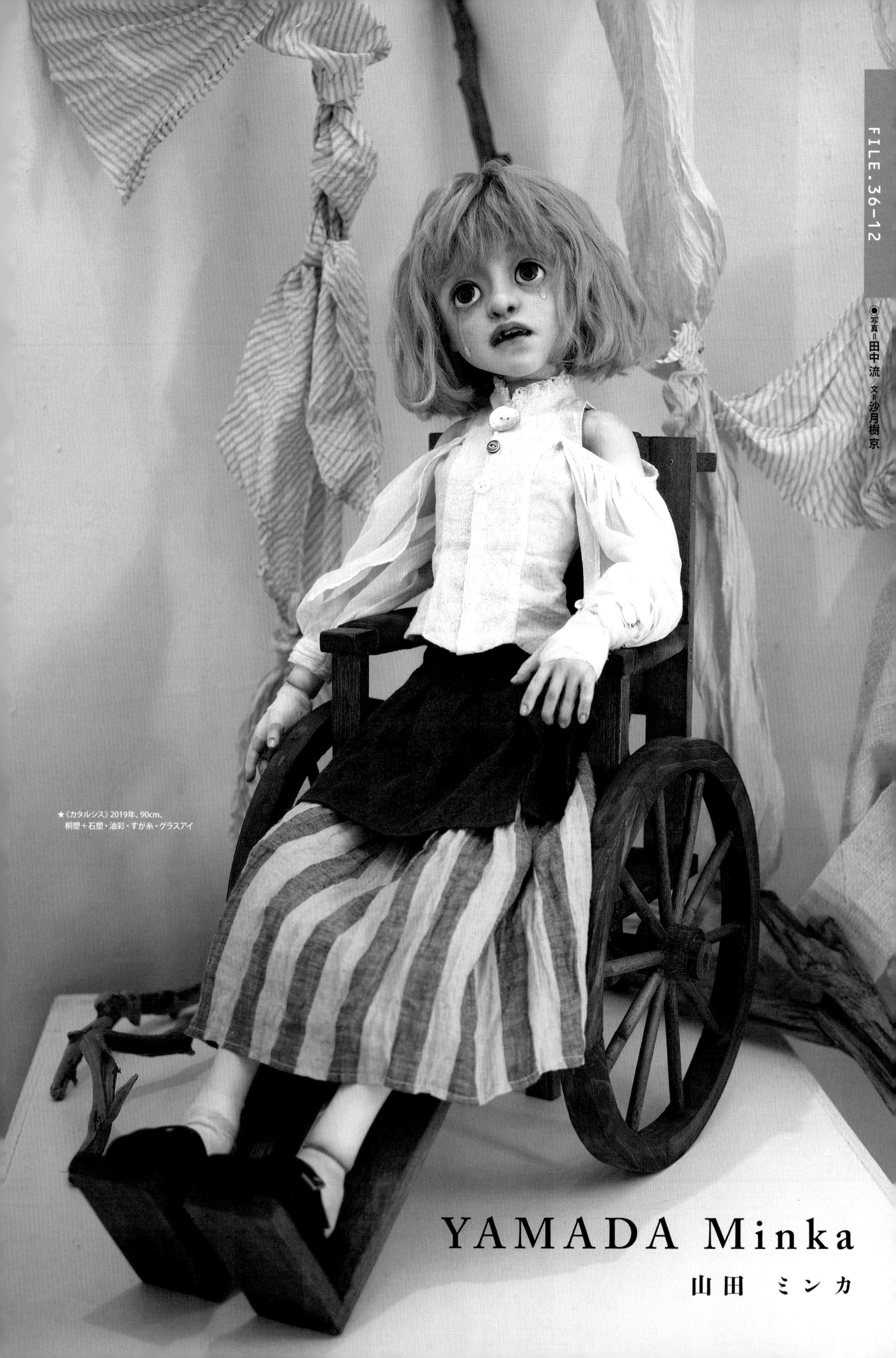

◉写真＝田中 流／文＝沙月樹京

★《カタルシス》2019年、90cm、
桐塑＋石塑・油彩・すが糸・グラスアイ

YAMADA Minka
山田　ミンカ

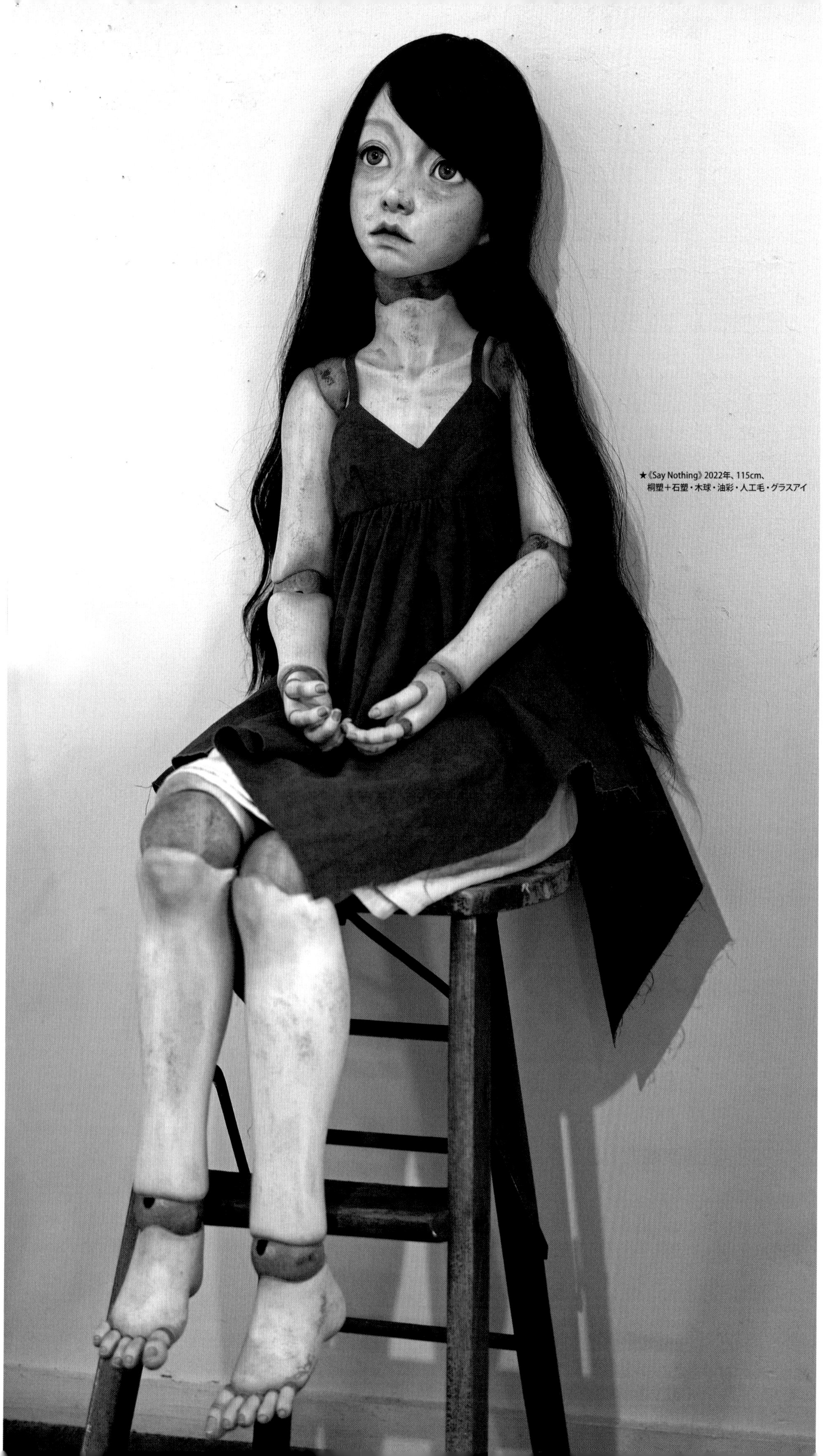

★《Say Nothing》2022年、115cm、
桐塑＋石塑・木球・油彩・人工毛・グラスアイ

★《風船かずら》2022年、70cm、
石塑・油彩・人毛・グラスアイ

身体に施された模様もまた
人形に表情や物語を与える

★《たま＆ゆら》2022年、35cm、
石塑・油彩・真鍮箔・すが糸・グラスアイ

★（右から）
《アニマリア「うま」》2022年、20cm、石塑・油彩・モヘア・グラスアイ
《アニマリア「シカ」》2022年、21cm、石塑・油彩・樹脂粘土・グラスアイ
《アニマリア「キリン」》2022年、22cm、石塑・油彩・モヘア・グラスアイ

★《アール・ヌーヴォーを纏う》2022年、60cm、
石塑・油彩・モヘア・グラスアイ

造形から服まで工夫を凝らし多彩な表情を見せる

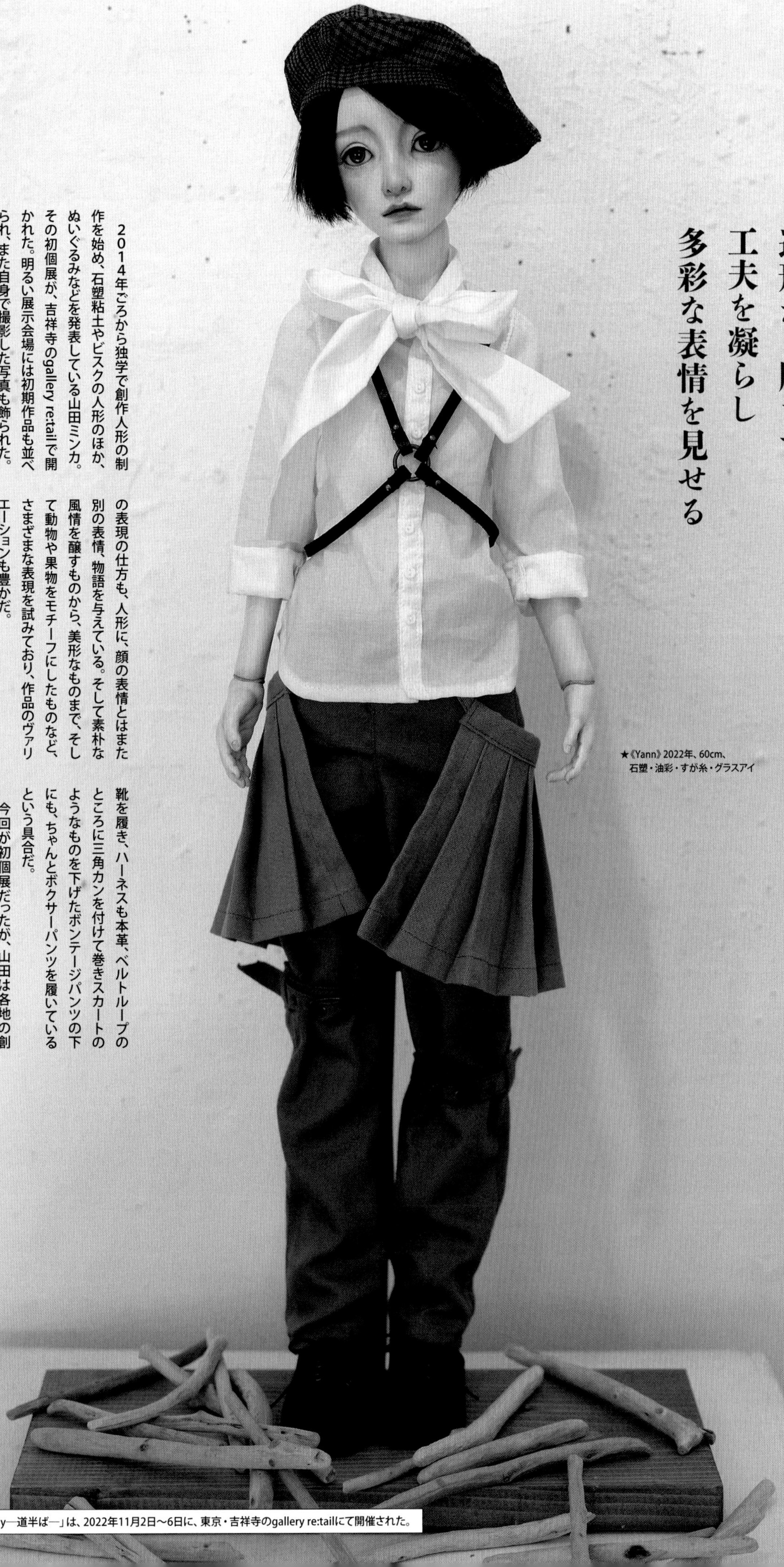

★《Yann》2022年、60cm、石塑・油彩・すが糸・グラスアイ

2014年ごろから独学で創作人形の制作を始め、石塑粘土やビスクの人形のほか、ぬいぐるみなどを発表している山田ミンカ。その初個展が、吉祥寺のgallery re:tailで開かれた。明るい展示会場には初期作品も並べられ、また自身で撮影した写真も飾られた。

その作品の特徴のひとつは、人形の表情の豊かさだろう。中には、口を開いて大きな目で天を仰ぎ、涙を流しているものもある。そして人形の身体に施された模様や球体関節の表現の仕方も、人形に、顔の表情とはまた別の表情、物語を与えている。そして素朴な風情を醸すものから、美形なものまで、そして動物や果物をモチーフにしたものなど、さまざまな表現を試みており、作品のヴァリエーションも豊かだ。

さらに、ドール服作りをしていたこともあり、創作人形に着せる服にもさまざまなこだわりが込められている。例えばこのページに掲載した《Yann》は、栃木レザーで作った革靴を履き、ハーネスも本革、ベルトループのところに三角カンを付けて巻きスカートのようなものを下げたボンテージパンツの下にも、ちゃんとボクサーパンツを履いているという具合だ。

今回が初個展だったが、山田は各地の創作人形展に出展している（今年2月に有楽町で開かれたクラフトアート創作人形展のメインヴィジュアルも山田の作品だ）。ぜひ会場で出会ってみたい。

（沙月樹京）

※山田ミンカ 個展「Midway—道半ば—」は、2022年11月2日〜6日に、東京・吉祥寺のgallery re:tailにて開催された。

◉文＝沙月樹京

★《夜は明けない》2022年、190×240mm、顔料インク / イラストレーションボード

描く女性に
笑顔はないが
肯定的な存在として
描いている

TSUDUKI Cotono

都築　琴乃（遊）

★《静夜》2021年、182×257mm、顔料インク / イラストレーションボード

★《夜ノ子》2021年、182×257mm、顔料インク / イラストレーションボード

★《夜纏い》2021年、182×257mm、顔料インク / イラストレーションボード

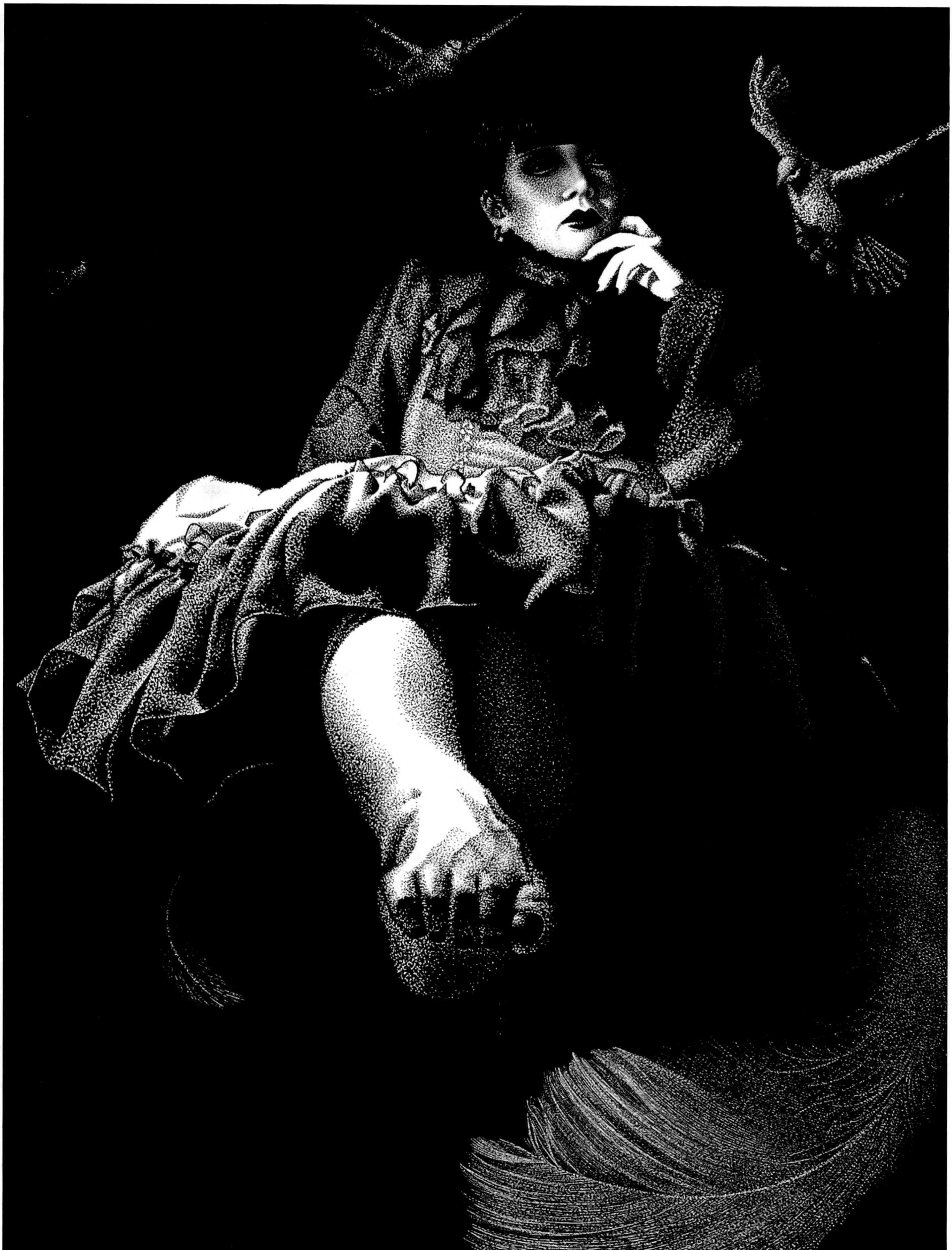

★《無慈悲な夜の月》2022年、410×530mm、顔料インク / イラストレーションボード

★《凍光》2021年、158×227mm、顔料インク / イラストレーションボード

死の気配を纏いながらも優しく包み込んでくれる深遠な闇

ペン画家・遊が都築琴乃と改名した。昨年11月は遊名義で個展を開催し、1月の東京初個展（於 画廊・珈琲ザロフ）では都築琴乃の名となった。

だが、その作風は変わらない。それは、緻密な点描で表現されるダークなメルヘン世界。死の気配が色濃く漂う闇の中、不穏な物語が始まろうとしているかのような情景。「私が描く女性像に笑顔はありません。しかしいずれも肯定的な存在として描いています」と都築は綴る。そう、その闇は、決して女性を脅かすものではないのだろう。不穏な物語といっても、絶望が待ち受けているわけでもない。闇は、安らかにその者を包み込む。

本誌file.25で紹介させいただいたときは、少々イラスト的なデフォルメが施された絵柄だったが、近年の作品は、より写実的に変わってきており、絵の構成もシンプルになってきているように思う。メルヘンの世界にあった闇が、より現実感を伴って、よりストレートに観る者に迫ってくる感じだ。

その一方で、《アリス症候群》のような軽めの戯画的な作品もあったが、これと比較すると、他の闇に包まれた作品がいかに重々しい空気に満ちているかがわかるだろう。深くて濃い闇の美を今後も追究していってほしい。（沙月樹京）

★《MOTHER》2020年、242×333mm、顔料インク / 色紙

★《アリス症候群》2022年、190×240mm、顔料インク / イラストレーションボード

※都築琴乃（遊）個展「あかときくたち」は、2022年11月5日〜16日に、大阪・中崎町のSUNABAギャラリーにて開催された。

◎TH Art series

◎画集

駕籠真太郎画集「死詩累々［新装版］」
978-4-88375-490-8／A4判・128頁・カバー装・税別3300円
●不謹慎かつ狂気的な漫画で人気を集める奇想漫画家・駕籠真太郎の、漫画以外の多彩なアートワークを凝縮した「超奇想画集」！

真珠子作品集「真珠子メモリアル～〝娘〟を育んだ20年」
978-4-88375-483-0／B5判・128頁・ハードカバー・税別3200円
●天衣無縫なガーリーアート！渋谷PARCOなどでの個展等、多彩な活動を続けている真珠子の20年の軌跡を凝縮した記念作品集！

椎木かなえ 画集「虚の構築」
978-4-88375-475-5／A5判・64頁・ハードカバー・税別2700円
●無意識を彷徨い、構築する――形容し難い不可思議さ。シュールだけどユーモラス。椎木かなえが闇の中から構築した〝虚〟の世界！

椎木かなえ 画集「同じ夢～Same Dream～」
978-4-88375-252-2／A5判・64頁・ハードカバー・税別2750円
●闇に住まう人の、いびつな愛と、不穏な夢。奇妙で秘儀的な心象風景が、観る者を夢幻の世界へ導く、椎木かなえの初画集!!

イヂチアキコ 画集「Dignity」
978-4-88375-462-5／A4判・48頁・並製・税別1500円
●日本画の手法により、現代に生きる少女の心性を寓意によって描き出してきたイヂチアキコ。画集『イルシオン』以降の作品を集約！

「楽園の美女たち Paradise Garden～現代美人画集」
978-4-88375-463-2／A4判・80頁・カバー装・税別2200円
●美しさ、艶やかさ、妖しさ…それぞれのスタイルで探究された現代美人画の数々。久下じゅんこ、樋口ひろ子、九鬼匡規など8作家収録！

たま 画集「Deep Memories～少女主義的水彩画集Ⅶ」
978-4-88375-451-9／B5判・64頁・ハードカバー・税別2700円
●深く落ちた記憶の欠片、透明な絵の具で彩って、5つに束ねて留めました。記憶の底にある、可愛らしくも不気味な楽園にようこそ！

高田美苗 作品集「箱庭のアリス」
978-4-88375-393-2／B5判・64頁・ハードカバー・税別2700円
●混合技法によるタブローから銅版画まで、少女をモチーフとした夢幻世界を描き続ける高田美苗の軌跡を集約した、待望の作品集！

森環 画集「愛よりも奇妙～Stranger than love」
978-4-88375-264-5／B5判・64頁・ハードカバー・税別2750円
●なんて奇妙な、ワンダーランド！「ボローニャ国際絵本原画展」入選など、不思議な世界観で人気の画家の幻想的な鉛筆画集！

安蘭 画集「BAROQUE PEARL～バロック・パール」
978-4-88375-213-3／A5判・72頁・ハードカバー・税別2750円
●哀しみや痛みなどを包み込み、いびつだからこそ心を灯す、安蘭の〝美〟。耽美画家・安蘭の約10年の軌跡を集約した待望の画集！

深瀬優子 画集「Kingdom of Daydream～午睡の王国」
978-4-88375-167-9／A5判・64頁・ハードカバー・税別2750円
●油彩とテンペラの混合技法などによりメルヘンチックで愛らしく、でも少しシュールな作品を描き続けている深瀬優子の初画集！

町野好昭 画集「La Perle（ラ・ペルル）―真珠―」
978-4-88375-132-7／A5判・64頁・ハードカバー・税別2800円
●中性的な少女の純化されたエロスを描き続けてきた孤高の画家、町野好昭の幻想世界をよりすぐった待望の作品集！

市場大介 画集「badaism」
978-4-88375-156-3／A5判・136頁・ハードカバー・税別2800円
●badaのカオス炸裂!! 過去作品から現在未来まで網羅した衝撃のアナーキー画集!!「わっ何だ、これは!!」―蛭子能収

◎人形・オブジェ作品集

田中流 球体関節人形写真集「DollsⅡ～瞳に映る永遠の記憶」
978-4-88375-480-9／A5判・96頁・カバー装・税別2500円
●「Dolls～瞳の奥の静かな微笑み」に続く人形写真集。可愛いものから個性的なものまで、23人の作家の多彩な人形作品を掲載！

田中流 球体関節人形写真集「Dolls～瞳の奥の静かな微笑み」
978-4-88375-373-4／A5判・96頁・カバー装・税別2300円
●若手からベテランまで、多彩なタイプの球体関節人形を撮影し、その魅力とともに、現代の創作人形の潮流をも写した写真集!!

「Dolls in labyrinth～田中流・人形写真館」
978-4-88375-449-6／A5判・112頁・並製・税別1636円
●球体関節人形たちの夢の迷宮。可愛らしかったり妖しげだったり…田中流が、12人の人形作家の作品の魅力を写し出した写真集。

清水真理 人形作品集「VITA NOVA～革命の天使」
978-4-88375-464-9／B5判・64頁・ハードカバー・税別2700円
●ハルビンの束の間の栄華と、刹那的な享楽。球体関節人形と人形オブジェで、歴史の陰翳の中に生きた者たちを描き出した幻影の劇場！

清水真理 人形作品集「Wonderland」
978-4-88375-364-2／B5判・64頁・ハードカバー・税別2750円
●肉体と霊魂、光と闇、聖と俗…それらの狭間で息づく、人形たちのワンダーランド。多彩な活躍を続ける清水の近年の作品の魅力を凝縮！

神宮字光 人形作品集「Cocon」
978-4-88375-378-9／A5判・64頁・ハードカバー・税別2700円
●ビスクなどで作られた愛おしい人形達がさまざまなシチュエーションの中で遊ぶ、かわいくも、ときにシュールでミラクルな世界！

ホシノリコ 作品集「蒼燈のばら」
978-4-88375-326-0／B5判・64頁・ハードカバー・税別2750円
●艶かしく息づく球体関節人形、幻想的な物語奏でるオブジェ。ホシノの10年の歩みをまとめた待望の作品集！写真＝吉田良、田中流

与偶 人形作品集「フルケロイド FULLKELOID DOLLS」
978-4-88375-265-2／A5判・68頁・ハードカバー・税別2750円
●園子温推薦！多くの人の心に突き刺さっている、凄みのある作品たち。20年の作家生活をここに総括。横4倍になる綴じ込み2枚付！

森馨 人形作品集「Ghost marriage～冥婚～」
978-4-88375-236-2／B5判・64頁・ハードカバー・税別2750円
●妖しい美しさと、哀しいエロスを湛えた、森馨の球体関節人形。その蠱惑的な肢体を写真家・吉成行夫が撮影した、闇の色香ただよう写真集！

木村龍 作品集「光速ノスタルジア」
978-4-88375-245-4／B5判・96頁・ハードカバー・税別3500円
●ボックスアートから彫像的作品、球体関節人形、絵画などまで、妖美で奇矯、かつ純真な世界を濃密に凝縮した、待望の初作品集！！

◎話題書

芳賀一洋 作品集「錠前屋のルネはレジスタンスの仲間」
978-4-88375-331-4／A5判・224頁・並製・税別2222円
●リアルにつくり上げられた驚きのミニチュア・ワールド！はが いちよう の 抒情あふれる世界をおさめた、ノスタルジックな作品集。

「甲秀樹 人体デッサン 男性ポーズ集 ディープシーン」
978-4-88375-455-7／B5判・160頁・ハードカバー・税別2700円
●ソロ、回転アングル、フェティッシュ、絡みなど裸体ポーズ写真を約500点収録。こんなディープシーンを描きたかった！絵描きのバイブル！

小川貴一郎 作品集「監禁芸術 confinement art」
978-4-88375-419-9／A5判・128頁・カバー装・税別2500円
●1日目、イヴ・サンローランに蠟を描いた。COVID-19の流行で渡仏が延期になり、緊急事態宣言発令中、家にこもって制作し続けた芸術の記録。

◎暗黒メルヘン絵本シリーズ

深瀬優子（絵） 最合のぼる（文・写真・構成）
「柔らかなビー玉～暗黒メルヘン絵本シリーズ5」
978-4-88375-470-0／B5判・64頁・カバー装・税別2255円
●「赤ずきん」「ピーター・パン」「星のひとみ」など、おなじみの童話を元に生み出された、可愛らしくもダークなヴィジュアル物語！

◎写真集

珠かな子 写真集「蜜の魔法」
978-4-88375-489-2／B5判・80頁・カバー装・税別2500円
●幸せの魔法が強くなるように――11人のモデルを優しくリスペクトする視線で、エロスとイノセンスをあわせ持つ魅力を写し出す。

珠かな子 写真集「肌に降る七星」
978-4-88375-446-5／B5判・80頁・カバー装・税別2500円
●「日差しを浴びてその肌は、小さな星屑がスパークするかのようにきらめいていた」――珠かな子が、七菜乃の原初の力と「蜜」を写す！

村田兼一 写真集「宵待姫 十三夜」
978-4-88375-469-4／B5判・96頁・ハードカバー・税別3200円
●村田兼一の原点、禁断の手彩色写真集！エロスとタナトスが交錯する13の秘密の夜。自身が見た夢などを添えた濃密な魔術的世界。

村田兼一 写真集「女神の棲家」
978-4-88375-416-8／B5判・96頁・ハードカバー・税別3200円
●古の女神を現代の少女に重ね合わる――魔術的なエロスやタナトスと、御伽のような叙情性が混交する村田兼一写真集、第7弾！

美島菊名 写真作品集「HOPE」
978-4-88375-308-6／B5判・64頁・ハードカバー・税別2750円
●少女よ あなたは 世界を変える――少女の無垢と欲望を、インパクトあるヴィジュアルで表現してきた美島菊名、初の写真作品集！

谷敦志 写真集「Flowers and Nudes」
978-4-88375-284-3／A4判・64頁・ハードカバー・税別3800円
●透き通るような静けさをまとう、ヌードと花。進化し続ける孤高のアーティストの「今」が詰まった、最新写真集！A4サイズの豪華版！

◎北見隆作品集

北見隆 装幀画集「書物の幻影」
978-4-88375-398-7／B5判・96頁・ハードカバー・税別3200円
●赤川次郎、恩田陸、中島らも、津原泰水…あのワクワクは、この絵とともにあった！40年の装幀画業から、約400点を収録した決定版画集！

北見隆 作品集「本の国のアリス～存在しない書物を求めて」
978-4-88375-223-5／A5判・64頁・ハードカバー・税別2750円
●本そのものが、「アリス」の物語の、愉快な舞台〈ワンダーランド〉に！本の形をした〝ブックアート〟を中心に、不思議な物語に満ちた作品集!!

◎ExtrART(エクストラート)〜異端派ヴィジュアルアート誌

file.35◎FEATURE:幻想の王国へ、ようこそ。

A4判・112頁・並装・1250円(税別)・ISBN978-4-88375-486-1
●エセム万、網代幸介、塚本紗知子、松本ナオキ、ミルヨウコ、雛菜雛子、塚本穴骨、田中流、下山直紀、村上仁美、沖綾乃、ジュリエットの数学、すうひゃん。

file.34◎FEATURE:美のゆらぎ、闇の鼓動
A4判・112頁・並装・1250円(税別)・ISBN978-4-88375-479-3
●三谷拓也、高久梓、安藤朱里、日野まき、藤浪理恵子、西村藍、六原龍、戸田和子、SRBGENk、shichigoro-shingo、雪駄、異形のヴンダーカンマー展

file.33◎FEATURE:聞こえぬ声を聞く
A4判・112頁・並装・1250円(税別)・ISBN978-4-88375-471-7
●土谷寛枇、小野隆生、Sui Yumeshima、鶴見厚子大西茅布、芳賀一洋、駒形克哉、清水真理、松平一民、岡本太郎賞展、i.m.a.展

file.32◎FEATURE:たましいの棲むところ
A4判・112頁・並装・1200円(税別)・ISBN978-4-88375-466-3
●衣[hatori]、安藤榮作、村上仁美、西條冴子、FREAKS CIRCUS、岡本瑛里、宮崎まゆ子、前田彩華、アンタカンタ、たま、mumei、真木環

file.31◎FEATURE:動物と花のワンダー!

A4判・112頁・並装・1200円(税別)・ISBN978-4-88375-459-5
●石塚隆則、吉田泰一郎、森勉、水野里奈、萩原和奈可、永見由子、珠かな子、椎木かなえ、金澤弘太、雫石知之、Sitry、呪みちる×古川沙織

file.30◎FEATURE:揺らぐ心象の迷宮
A4判・112頁・並装・1200円(税別)・ISBN978-4-88375-452-6
●宮本香那、ÔБ、川上勉、高松潤一郎、田中流、大山菜々子、塩野ひとみ、かつまたひでゆき、Ma marumaru、シン・ニッポン風土記 ほか

file.29◎FEATURE:見る／見えることの異相
A4判・112頁・並装・1200円(税別)・ISBN978-4-88375-442-7
●金巻芳俊、倉崎稜希、泥方陽菜、山村まゆ子、根橋洋一、平良志季、書正、吉田有花、高齊りゅう、奥村あか、須川まきこ ほか

file.28◎FEATURE:少女への夢想曲
A4判・112頁・並装・1200円(税別)・ISBN978-4-88375-436-6
●イヂチアキコ、くるはらきみ、九鬼匡規、鈴木那奈、傘嶋メグ、蕾／pick up=吉岡里奈、中尾変、吉田和夏、清水真理、田中流、林美登利

file.27◎FEATURE:死を想い、生を描く
A4判・112頁・並装・1200円(税別)・ISBN978-4-88375-430-4
●亀井三千代、伊東明日香、村上仁美、ある紗、田中童夏、キジメッカ、多賀新、東學、山本竜基、髙瀬実穂子、北見隆、後藤麦×今大路智枝子

file.26◎FEATURE:リアルを紡ぎ出す
A4判・112頁・並装・1200円(税別)・ISBN978-4-88375-417-5
●戸泉恵徳、建石修志、山中綾子、田川弘、中島綾美、吉田有花×宮崎まゆ子×きゃらあい、蛹田式、四学科松太、寺澤智恵子ほか

file.25◎FEATURE:ヒトガタは語る
A4判・112頁・並装・1200円(税別)・ISBN978-4-88375-408-3
●三浦悦子、Mekkedori、ヒロタサトミ、垂狐、田野敦司、日隈愛香、横倉裕司、羅入、成田朱希、サワダモコ、山本有彩、塙興子ほか

file.24◎FEATURE:幽玄を垣間見る
A4判・112頁・並装・1200円(税別)・ISBN978-4-88375-395-6
●上田風子、高田美苗、濵口真央、奥田鉄、土田圭介、南花奈、白野有、武田海、村山大明、日影眩、神宮字光、黒木こずゑ×最合のぼる

file.23◎FEATURE:秘めた、この思い
A4判・112頁・並装・1200円(税別)・ISBN978-4-88375-385-7
●池田ひかる、新宅和音、谷原菜摘子、野原tamago、井桁裕子、朱華、日野まき、菊地拓史・森馨、田中流、渡邊光也、千葉和成、TOKYO 2021 美術展

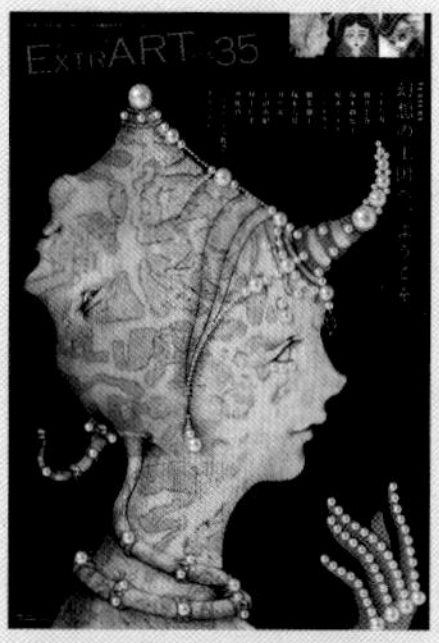

◎トーキングヘッズ叢書(TH Seires)

No.93 美と恋の位相／偏愛のカタチ
A5判・224頁・並装・1444円(税別)・ISBN978-4-88375-488-5
●「美」に幻惑され、偏愛的、狂的、病的な愛に憑かれた者たちの物語——美しき吸血鬼像、クレオパトラ、ベニスに死す、桜の森の満開の下、乱歩式人形愛の美学、ヴェルレーヌと美少年ランボー、少女人形フランシーヌが見せた夢、コスプレで上流階級を魅了した美女エマ・ハミルトン、八田拳(みこいす)インタビュー他

No.92 アヴァンギャルド狂詩曲〜そこに未来は見えたか?
A5判・224頁・並装・1444円(税別)・ISBN978-4-88375-481-6
●新たな価値観を創出することを志したアヴァンギャルド的表現を見直し、新たな多様な表現を眺望してみよう! マン・レイ、合田佐和子、田部光子、ヴェネチア・ビエンナーレ、舞踏はいまも前衛か、きゅんくんインタビュー、アヴァンギャルド映画、未来派とバウハウス、寺山修司による『市街劇ノック』、月刊漫画ガロの足跡他

No.91 夜、来たるもの〜マジカルな時間のはじまり
A5判・224頁・並装・1444円(税別)・ISBN978-4-88375-473-1
●「魔」的なものが支配する時間、それが夜だ! 神は闇を渡る、『稲生物怪録』、児童文学と少年少女の夜、裸のラリーズという《夜の夢》、ドイツ表現主義映画、『ナイトホークス』、稲垣足穂、埴谷雄高、『百億の昼と千億の夜』、妖精たちの長くて短い夜、『夜のガスパール』、金縛り・過眠症・夢遊病、高千穂の夜神楽他

No.90 ファム・ファタル／オム・ファタル〜狂おしく甘美な破滅
A5判・224頁・並装・1389円(税別)・ISBN978-4-88375-467-0
●危険な魔性の女、魔性の男たち——エヴァ、イザナミからラムまで、かぐや姫の正体、女奇術師・松旭斎天勝、カサノヴァの艶なる恋、高級娼婦コーラ・パール、クラーナハ、ジャンヌ・モロー、松本俊夫『薔薇の葬列』、キューブリック、横溝正史の美少年像、オペラ『カルメン』、妲己のお百、トレヴァー・ブラウン、アーバンギャルド他

No.89 魔都市狂騒〜都市の闇には、物語がある。
A5判・224頁・並装・1389円(税別)・ISBN978-4-88375-461-8
●都市の狂騒的な享楽と、頽廃的な闇——上海、ベルリン、ニューヨーク、円都と歌姫、東洋の魔窟・九龍城砦、酔いどれと怪物〜大都市ロンドン近代化の影、コペンハーゲンにあるヒッピーたちの独立自治村、美魔都市・京都、観音、遊郭から一大歓楽街へ〜浅草の歴史、ゴッサム・シティの光と影、都市から生まれる都市伝説他

No.88 少女少年主義〜永遠の幼な心
A5判・224頁・並装・1389円(税別)・ISBN978-4-88375-456-4
●永遠を夢見る少女、少年の魂は、時代や性差、生死をも超える—[図版構成]たま、須川まきこ、戸田和子、パメラ・ピアンコ、村田兼一、甲秀樹他／「恐るべき子供たち」などに見る少年少女たちの死と再生、少女主義者たちの文学、「不思議の国のアリス」の姉をめぐって、庵野秀明と宮崎駿、『紅楼夢』、鷗外と芥川のヴィタ・セクスアリス他

No.87 はだかモード〜はだける、素になる文化論
A5判・208頁・並装・1389円(税別)・ISBN978-4-88375-444-1
●タブー視されてきた「はだか」、そして「はだけること」をめぐる文化の諸相。珠かな子、七菜乃、彫師・SHIGEインタビュー、人はなぜ裸という無垢を捨てたか、黒田清輝と裸体画論争、偏愛のヌーディズム、絵本『すっぽんぽんのすけ』、映画におけるヌード表現史、バタイユとクロソウスキー、銭湯・温泉主義者たちの裸のユートピア他

No.86 不死者たちの憂鬱
A5判・224頁・並装・1389円(税別)・ISBN978-4-88375-439-7
●不死は幸福か?苦しみか?——『ポーの一族』、ヴァンパイアと浦島太郎、『ガリヴァー旅行記』、『火の鳥』からヒーラ細胞へ、クレア・ノースの孤独、ドリアン・グレイ、韓国SF、不老不死になれる(かもしれない)秘薬・霊薬・仙薬、荒川修作、不老不死を生きる童話世界の住民、サザエさんシステム、20年代まんが試論、不死の怪物プルガサリ他